D1387459

Dans la chaleur de la nuit

KRISTIN HARDY

Dans la chaleur de la nuit

COLLECTION *Andace*

éditions Harlequin

Cet ouvrage a été publié en langue anglaise sous le titre :
SLIPPERY WHEN WET

Traduction française de
RACHEL GRANDMANGIN

HARLEQUIN®

est une marque déposée du Groupe Harlequin
et Audace® est une marque déposée d'Harlequin S.A.

83-85, boulevard Vincent-Auriol, 75013 PARIS — Tél. : 01 42 16 63 63
Service Lectrices — Tél. : 01 45 82 47 47
ISBN 2-280-17437-5 — ISSN 1639-2949

Prologue

Décidément, le mois de février était de loin le pire de tous ! songea Taylor DeWitt en remontant le col de son manteau en laine pour se protéger d'une rafale de vent glacial. Même s'il ne neigeait que rarement à Baltimore, l'hiver n'en était pas moins des plus rigoureux.

D'un autre côté, elle devait bien reconnaître que cette période de l'année lui avait souvent porté chance — et notamment il y a trois ans tout juste, quand elle avait enfin trouvé le courage de créer sa propre entreprise. La période hivernale coïncidait pour elle avec une intense activité professionnelle. Rien d'étonnant, puisqu'elle dirigeait une petite agence de voyages spécialisée dans les destinations tropicales, fort prisées par ceux qui cherchaient à échapper au froid polaire qui s'abattait sur la ville en cette saison...

L'emplacement de son agence — située au rez-de-chaussée d'un des plus hauts gratte-ciel du centre-ville — offrait de nombreux avantages. Mais aussi un inconvénient majeur : dans une zone aussi prestigieuse, la municipalité effectuait souvent des travaux dans le but de préserver le standing de son quartier d'affaires. Et la vue des échafaudages entourant le bâtiment qui abritait ses bureaux lui rappela que l'agence allait même devoir fermer ses portes pendant plusieurs semaines...

Une nouvelle bourrasque de vent froid vint lui fouetter le visage, décoiffant du même coup ses cheveux blonds coupés au carré, qu'elle venait de lisser avec soin pendant une bonne demi-heure. « Satané climat ! » pesta-t-elle intérieurement. Tout bien réfléchi, la fermeture forcée de l'agence avait du bon… Elle allait enfin pouvoir s'échapper vers des cieux plus cléments. Pendant que ses deux employées continueraient à travailler par Internet depuis chez elles, elle avait prévu de s'absenter deux semaines pour effectuer des repérages dans les Caraïbes. Et, après avoir visité hôtels et villages de vacances susceptibles de figurer un jour à son catalogue, elle comptait bien s'offrir quelques jours de congé dans le petit coin de paradis mexicain dont on lui avait parlé…

Une telle perspective lui rendit le sourire, et c'est en rêvant à de longues plages de sable blanc qu'elle parvint enfin devant la devanture portant en lettres dorées DeWitt Voyages. Poussant la porte avec une fierté qu'elle ressentait toujours après trois ans d'activité, elle lança un joyeux salut à sa secrétaire depuis l'entrée :

— Bonjour, Allie ! Est-ce que j'ai déjà reçu des mess…

— C'est purement et simplement de l'escroquerie ! gronda une voix masculine avant même qu'elle ait le temps de terminer sa phrase. J'ai pris l'assurance annulation que vous avez tenu à me vendre, alors ne venez pas me dire maintenant qu'elle ne sert à rien !

Interloquée, Taylor examina la silhouette de l'homme qui lui tournait le dos, planté face au bureau de sa secrétaire. Grand — très grand, même —, une carrure d'athlète nettement visible sous la chaude canadienne brune qu'il portait, des cheveux blond cendré dont les mèches en bataille avaient dû, comme les siennes, être malmenées par le vent. Sans même voir son visage, elle devinait sa colère rien qu'au son de sa voix.

— Mais, monsieur… bafouilla Allie, visiblement embarrassée.

— Il n'y a pas de « mais », coupa l'homme, agacé. Débrouillez-vous pour régler le problème d'une manière ou d'une autre. Tout de suite.

Taylor prit une profonde inspiration et intervint d'un ton posé.

— Quel est le problème, monsieur ?

L'homme se retourna, et elle comprit sur-le-champ l'expression intimidée de sa collaboratrice. L'inconnu avait l'air littéralement hors de lui.

Et surtout, il était d'une beauté à couper le souffle.

Luttant pour maîtriser son trouble, elle planta son regard dans le sien. Elle savait d'expérience — fréquenter un homme comme Bennett le lui avait appris une bonne fois pour toutes — que face à un homme en colère, la meilleure attitude à adopter était le calme.

Il ne répondit pas tout de suite, se contentant de lui rendre son regard. Elle eut ainsi tout le temps de détailler les traits à la fois fins et virils de son visage, qui lui fit spontanément penser à celui d'un Viking. Sa mâchoire puissante, ses pommettes haut perchées, son nez droit, les lignes parfaites de ses lèvres pulpeuses… Oui, décidément, cet homme-là était d'une beauté renversante…

Ses yeux verts aux cils étonnamment fournis brillaient d'une fureur mal contenue.

— Je vais vous dire quel est le problème, mademoiselle, reprit-il en la fixant. J'ai payé pour une assurance annulation quand j'ai réservé mon voyage, il y a neuf mois de cela. Et maintenant que je veux l'annuler, votre collègue ici présente prétend que c'est impossible !

— Nous pouvons l'annuler, mais pas vous rendre votre argent, expliqua Allie, sûrement pas pour la première fois.

Elle jeta un regard suppliant à sa patronne.

— Vous comprenez, il s'agit de l'assurance standard…

— Faites-moi voir ça, demanda Taylor en s'emparant du dossier posé sur le comptoir. Vous avez souscrit une assurance annulation en cas de décès d'un proche ou de maladie… Pour quelle raison souhaitez-vous annuler ce voyage, monsieur…

— Carson. Dev Carson.

Une nouvelle fois, il la regarda droit dans les yeux.

Taylor réprima un frisson.

— Il s'agissait d'un voyage de noces, expliqua-t-il finalement. Mais, entre-temps, le mariage a été annulé.

« Au moins, il a ainsi évité le divorce… » songea machinalement Taylor. Si seulement elle-même avait pu annuler son mariage avant la cérémonie…

— Je suis navrée de l'apprendre, répliqua-t-elle avec politesse.

— Il n'y a vraiment pas de quoi, dit-il d'une voix changée.

Un peu décontenancée, Taylor baissa une nouvelle fois les yeux sur le contrat qu'elle tenait à la main.

— Ecoutez, monsieur Carson… Je dois vous dire que ce cas de figure n'est pas couvert par l'assurance que vous avez souscrite.

— Dans ce cas, pourquoi proposer une assurance annulation à vos clients ? insista-t-il, visiblement déterminé à aller jusqu'au bout.

Ses immenses yeux verts semblaient vouloir la faire changer d'avis en dépit des termes du contrat qu'il avait signé.

L'espace d'un instant, Taylor se perdit dans les prunelles fascinantes qui la fixaient avec obstination. Puis, au prix d'un gros effort de volonté, elle parvint à se ressaisir. Seigneur ! Cela ne lui ressemblait pas de perdre ses moyens devant un client…

— Nous proposons cette assurance pour protéger nos clients des aléas de la vie. Une maladie ou le décès d'un proche peuvent difficilement se prévoir à l'avance…

Il laissa échapper un petit rire.

— Parce que vous croyez que j'avais prévu d'annuler mon mariage, peut-être ?

Puis, d'une voix raffermie, il ajouta :

— Quand j'ai souscrit cette assurance, personne ne m'a informé de ce qu'elle couvrait réellement. Dans ces conditions, j'estime que vous devriez me rembourser ce voyage.

En dépit du trouble qui l'habitait toujours, Taylor sentit la moutarde lui monter au nez. Après tout, il savait lire un contrat, non ?

— Je suis désolée, monsieur Carson. Je ne peux rien faire pour vous. S'il s'agissait d'un voyage de quelques jours, peut-être. Mais vous aviez prévu de partir trois semaines… Difficile d'annuler votre séjour, d'autant que votre départ est prévu dans…

Elle chercha la date de départ dans le dossier.

— Dans quatre jours. Cela nous laisse vraiment trop peu de temps pour vous rembourser. Pourquoi ne partez-vous pas tout de même ? Vous pourriez peut-être emmener un ami ?

— Franchement, j'ai besoin d'être seul en ce moment…

Pendant quelques secondes, elle discerna autre chose que de la colère dans les prunelles émeraude qui la fixaient.

— Même dans ce cas, permettez-moi d'insister : pourquoi ne pas partir seul ? Cozumel est un endroit charmant à cette période de l'année. Moi-même, j'envisage d'y passer quelques jours très bientôt, conclut-elle avec un sourire conciliant.

Mais elle vit aussitôt son visage se fermer.

— Eh bien, j'espère que vous avez fait appel à une meilleure agence de voyages que moi, lança-t-il d'un ton furieux avant de tourner les talons et de claquer la porte derrière lui.

1.

Le chant des oiseaux exotiques résonnait comme une douce musique aux oreilles de Taylor tandis qu'elle descendait le petit chemin qui serpentait dans la végétation luxuriante. Celle-ci dissimulait parfaitement les coquets bungalows de l'hôtel, assurant ainsi l'intimité de ses clients. Dire qu'une centaine de personnes étaient logées ici… Dans un cadre aussi calme et aussi préservé, on se serait plutôt cru au cœur de la forêt tropicale !

Sauf que dans la jungle, il n'y avait ni piscine ni bar, se réjouit-elle intérieurement en débouchant sur le patio principal de l'hôtel. Là, au bord d'une immense piscine dont le turquoise rivalisait avec celui de la mer toute proche, se prélassait une dizaine de bienheureux, un cocktail à la main. Certains lisaient, d'autres se rafraîchissaient doucement à l'aide d'éventails en palme, d'autres encore ne faisaient rien du tout, se contentant de jouir de la délicieuse caresse du soleil… Exactement ce qu'elle comptait faire pendant une semaine !

La chaleur qui régnait, légèrement tempérée par une petite brise venue de la mer, invitait clairement au farniente et à la détente. Grisée par l'odeur de beurre de cacao qui flottait dans l'air, Taylor avait encore du mal à se rendre compte qu'elle était en vacances. Plus besoin de manteau, de pull-over ou d'écharpe ! Ici, un simple sarong par-dessus le Bikini suffisait amplement… Contournant la piscine, elle se dirigea vers la plage d'un pas enthousiaste, longeant un petit muret d'inspiration maya qui abritait les douches en plein air.

Parvenue face à la mer, elle faillit se pincer pour y croire. Encadré par des cocotiers dont les palmes se balançaient doucement au rythme d'un vent tiède, l'océan s'étendait à perte de vue au bout d'une plage de sable d'un blanc presque irréel. Sur une eau bleue virant par endroits à l'indigo croisait paisiblement un petit catamaran. Le doux murmure des vagues mêlé au chant des oiseaux venait parfaire ce tableau enchanteur. Non, vraiment, elle n'aurait pas cru qu'un lieu aussi paradisiaque puisse exister sur cette terre… Incapable de s'arrêter de sourire, elle prit une grande bouffée d'air sucré en contemplant tout son soûl cet incroyable panorama.

Depuis deux semaines, elle voyageait d'île en île, d'hôtel en hôtel, visitant parfois trois ou quatre sites en une seule journée. Chaque soir, elle faisait halte dans un endroit différent, ne s'attardant jamais assez pour pouvoir défaire ses bagages et encore moins se détendre. Et même s'il existait des activités professionnelles plus pénibles, il s'agissait de travail. Un travail qu'elle adorait, mais un travail tout de même.

Cette fois-ci, pourtant, il s'agissait bel et bien de vacances. Sept précieux jours de vacances rien que pour elle, où elle pourrait dormir jusqu'à midi, lire, bronzer, nager. En un mot : faire uniquement ce qu'elle aurait envie de faire sur le moment. Et justement, en cet instant, elle mourait d'envie de s'allonger au soleil…

Le sable lui chauffait délicieusement la plante des pieds tandis qu'elle s'avançait vers le rivage en passant à proximité de quelques groupes de vacanciers. A son grand soulagement, elle entendit surtout parler italien, allemand, espagnol… Visiblement, peu d'Américains venaient jouer les touristes dans cette région. Tant mieux ! Elle n'avait aucune envie de rencontrer des compatriotes, mais plutôt de jouir de sa solitude, pour une fois.

Un autre indice venait confirmer l'origine européenne ou sud-américaine des individus présents sur cette plage… surtout les femmes. Avec leurs habitudes un peu pudibondes, ses concitoyennes hésitaient en général à se défaire du haut de leur maillot de bain en public, même dans un lieu retiré comme celui-là. Alors que ce geste semblait au contraire tout naturel à la jeune femme de type hispanique qui venait de s'installer non loin de là… Et, de toute évidence, elle n'était pas la seule ici ! constata Taylor en jetant un rapide coup d'œil alentour.

Enchantée par la liberté qui régnait dans ce petit coin de paradis, elle posa son sac près d'un transat libre avant d'étaler sa serviette sur les coussins. Après quoi elle détacha son sarong et s'allongea avec bonheur pour livrer son corps à la douce morsure du soleil. Poussant un profond soupir de bien-être, elle s'étira de tout son long avant de sortir un tube de crème solaire de ses affaires. Par chance, sa peau de blonde aux yeux bruns supportait fort bien le bronzage, mais sous les tropiques, mieux valait se montrer prudente…

Tout en étalant la crème sur ses jambes, elle ne put s'empêcher d'envier la jeune femme qui se prélassait tout près d'elle, à peine vêtue d'un bas de Bikini. Comme cela devait être bon d'offrir sa poitrine nue à la caresse langoureuse du soleil ! Jamais encore elle n'avait osé le faire. Mais ici, à des milliers de kilomètres de chez elle, loin de toute personne de sa connaissance… Pourquoi pas ?

Elle vit alors le compagnon de la jeune femme se pencher sur elle et lui déposer un bref baiser sur la poitrine. Visiblement, il n'avait pas l'air d'être choqué par la décontraction de sa femme… Bien au contraire : il semblait s'en réjouir avec elle.

« Comme elle a de la chance », pensa-t-elle avec une bouffée de tristesse passagère. Bennett, lui, avait toujours détesté la plus petite des audaces qu'elle se permettait parfois sur le plan physique.

Chassant avec énergie ces mauvais souvenirs, Taylor se força à profiter du moment présent. Elle n'était plus cette pauvre petite chose martyrisée par un mari tyrannique — et, qui plus est, infidèle. Le passé était le passé. Elle ne pouvait que se féliciter d'avoir exigé le divorce en dépit des supplications de Bennett, qui s'étaient très vite muées en menaces. Aujourd'hui, elle était libre. Et elle essayait de renouer avec la part d'elle-même que Bennett avait voulu faire disparaître : la Taylor audacieuse, sexy, et pleine de confiance en elle qu'elle était avant de l'épouser. La Taylor qui l'avait séduit, mais qu'il avait voulu détruire une fois marié avec elle. Eh bien, il avait échoué. Et même si cela n'avait pas été une mince affaire, elle avait réussi à reprendre sa vie en main. Elle s'était jetée dans le travail corps et âme, et elle avait connu le succès — ou du moins, un début de succès. Et elle en retirait une grande fierté.

Revers de la médaille, cet ambitieux projet avait monopolisé toute son énergie depuis trois ans, ne lui en laissant aucune pour rebâtir sa vie personnelle. Mais, désormais, tout cela allait changer. Après tout, elle était en vacances, oui ou non ? Il était grand temps de réveiller la femme libérée qui sommeillait en elle depuis toujours.

Un sourire effronté lui monta aux lèvres. Qu'est-ce qui l'empêchait d'enlever le haut de son maillot de bain, si elle en brûlait d'envie ? Il n'y avait personne pour le lui interdire, et surtout personne pour en être témoin, excepté quelques groupes de vacanciers dont les femmes pratiquaient justement la chose… « Allez, Taylor ! Au diable les préjugés et les rabat-joie ! » songea-t-elle avec une joie presque débridée.

Sans attendre davantage, elle se redressa sur son transat et passa ses mains derrière son dos. Lentement, elle fit glisser les bretelles du soutien-gorge sur ses épaules, le long de ses bras… L'instant d'après, c'était fait.

La foudre divine ne s'abattit pas sur elle pour autant. Personne ne vint lui demander, d'un air outré, de revenir à plus de décence. En fait, personne ne remarqua ce qu'elle venait de faire. Sauf elle-même. Ce qui la surprit le plus, c'est l'impression de bien-être qui s'empara aussitôt de chaque cellule de son épiderme. Comme si exposer sa poitrine nue aux rayons de l'astre solaire était la chose la plus naturelle au monde. Et d'ailleurs, en un sens, c'était vrai… Une chaleur divine gagna ses seins libérés de leur prison de tissu. Se cambrant légèrement pour mieux goûter cette incroyable sensation, elle ferma les yeux et s'abandonna au plaisir qu'elle s'était jusque-là interdit.

Perdant la notion du temps et de l'espace, elle somnola pendant un petit moment, jouissant du moment présent comme elle s'était promis de le faire. Puis, peu à peu, la conscience lui revint. Et avec elle la peur d'attraper un coup de soleil sur une partie de son anatomie aussi fragile et aussi peu habituée au bronzage… Sans rouvrir les yeux, elle chercha à tâtons le tube de crème solaire posé à côté de son transat. D'un geste lent, elle s'en enduisit la poitrine, réveillant peu à peu le souvenir d'autres caresses que celle du soleil… Réprimant un soupir, elle regretta de ne pas avoir, telle la jeune femme allongée non loin d'elle, un homme à ses côtés.

Seigneur, il y avait si longtemps qu'elle n'avait pas fait l'amour ! Si se passer de la crème solaire sur les seins la troublait à ce point, sa vie privée devenait franchement pathétique ! Depuis Bennett, elle n'avait plus eu de relations sexuelles. Il était temps de tourner la page, comprit-elle soudainement. Elle n'avait pensé qu'au travail depuis plusieurs années, sans se préoccuper de ses besoins de femme. Tout en se calant plus confortablement dans son transat, elle se prit à songer à ce qu'elle éprouverait si elle avait un compagnon, ici et maintenant, sous ce climat tropical sensuel en diable. Presque machinalement, sa main recommença à masser doucement sa poitrine dénudée, avant de descendre lentement le long de son ventre, puis sur le bombé de ses cuisses. Hum… Ce serait si bon de…

— Attention à ne pas vous brûler, mademoiselle, lança une voix masculine aux accents moqueurs. Votre peau est encore très pâle.

Sursautant comme un enfant pris en faute, elle ouvrit les yeux sur-le-champ.

Pour découvrir Dev Carson qui la contemplait, un grand sourire aux lèvres.

2.

Aussitôt, un embarras sans bornes s'empara de Taylor. Non, en vérité, elle n'était pas même pas embarrassée : elle était mortifiée. Incapable de faire le moindre mouvement, elle le fixa, incrédule.

— Vous devriez remettre de la crème sur votre visage, vous êtes un peu rouge, conseilla-t-il sans même prendre la peine de cacher son amusement.

De toute évidence, il se délectait de la situation inconfortable dans laquelle elle se trouvait… Le mufle ! D'un geste maladroit, elle chercha son sarong, son haut de Bikini, bref n'importe quel morceau de tissu qui lui tomberait sous la main, pour couvrir sa poitrine.

— C'est ça que vous cherchez ? lui demanda-t-il, railleur, en lui tendant le soutien-gorge qu'il venait de ramasser sur le sable.

Rouge de honte, elle s'abstint de répondre et même de saisir l'objet qu'il lui présentait, préférant s'allonger sur le ventre et tourner le dos à l'intrus.

« Bon sang, mais que fait-il ici ? » se lamenta-t-elle intérieurement. Si sa mémoire était bonne, Dev Carson aurait déjà dû être de retour à Baltimore, même au cas où il avait décidé de faire ce voyage. Peut-être qu'en l'ignorant, elle réussirait à le décourager…

Mais il ne semblait pas prêt à déguerpir — bien au contraire. Avec une aisance qui la rendit furieuse, il s'assit tout près de son transat, au niveau de sa tête, à même le sable. Elle n'allait tout de même pas le chasser… surtout que, de là où elle se trouvait, elle jouissait d'une vue plongeante sur ses abdominaux, musclés et bronzés à la perfection.

Seigneur, voilà qu'elle se retrouvait à moitié nue en face d'un quasi étranger, et que tout ce qu'elle trouvait à faire était de saliver sur son anatomie ! Non, vraiment, elle perdait la tête ! D'autant qu'en de telles circonstances, elle aurait préféré disparaître dans un petit trou de souris, pour y cacher sa honte…

« Détends-toi, Taylor, s'intima-t-elle en luttant pour respirer calmement. L'humiliation n'a jamais tué personne. Si monsieur Muscles veut s'amuser à tes dépends, ne lui fais pas ce plaisir. » L'essentiel était de feindre le détachement. Après tout, une dizaine de jolies filles prenaient le soleil sur cette plage. Quand il se serait lassé de la mettre dans l'embarras, il trouverait sûrement une autre occupation.

— Je vois que vous avez finalement décidé de profiter de ce voyage, monsieur Carson, finit-elle par dire d'une voix qui se voulait posée.

« Bien envoyé, Taylor. Et pas question de lui demander ce qu'il fiche encore ici ! », s'ordonna-t-elle avec détermination.

Comme s'il avait lu dans ses pensées, il répondit d'une voix nonchalante :

— Comme l'annulation était impossible, votre employée m'a offert une petite compensation : une semaine supplémentaire. Et j'ai pensé que quitte à partir, autant partir pour de bon, un mois entier. Il m'a semblé que le climat et…

Son regard plana sur elle un peu trop longtemps.

— … et la vue me feraient du bien.

Bataillant pour rester calme, elle demanda :

— Et cela a été le cas ?

Il lui adressa un immense sourire.

— Oui. Et je sens que cela va être le cas de plus en plus.

— Finalement, vous êtes donc parti seul ?

Il hocha la tête.

— En effet. Voilà pourquoi je suis ravi de vous rencontrer.

« Ravi » était encore un mot trop faible pour exprimer la joie qu'il avait ressenti quand il l'avait vue apparaître sur la plage, délicieusement moulée dans son sarong multicolore... Il s'était d'abord cru victime d'hallucination, et pourtant, c'était bien elle. A Baltimore, furieux qu'on n'accède pas à sa demande, il s'était senti irrité par son attitude trop calme. Mais cela ne l'avait pas empêché de remarquer sa blondeur, ses grands yeux sombres et sa bouche pulpeuse qui semblait attirer le baiser.

A vrai dire, il avait souvent repensé à elle depuis.

Il se souvenait qu'elle avait mentionné un imminent déplacement professionnel dans la région. Mais, à la voir paresser ainsi au soleil, il avait compris qu'elle prenait sans doute, à son tour, quelques jours de vacances. Hypnotisé par sa grâce et sa sensualité, il l'avait regardée ôter son sarong et s'installer sur son transat. Mais quand il l'avait vu enlever le haut de son Bikini, il avait bien cru que sa mâchoire allait se décrocher. Comme cela devait être bon de caresser cette peau soyeuse, encore pâle, et qui n'attendait sans doute que de goûter à tous les plaisirs qu'offraient un séjour aussi enchanteur que celui-ci...

Dès cet instant, il avait décidé de la séduire. Parti au Mexique presque malgré lui, il avait juré de tout faire pour oublier le fiasco de son mariage manqué. Alors, s'il pouvait se consoler en prenant du bon temps avec une jeune femme aussi attirante... Sans compter qu'il avait une petite revanche à prendre sur celle qui lui avait si bien tenu tête quelques semaines auparavant !

Une nouvelle fois, il détailla avec gourmandise le corps aux courbes voluptueuses qui se trouvait devant lui, à portée de main.

— Vous allez attraper un coup de soleil si vous ne mettez pas un peu de crème sur votre dos, reprit-il d'une voix chaude. Laissez-moi vous aider, ajouta-t-il en tendant la main vers le tube de crème solaire.

Taylor le foudroya du regard.

— C'est très aimable, mais non merci.

— Vous ne voudriez quand même pas brûler dès le premier jour ? l'interrogea-t-il d'un ton faussement alarmé.

D'un geste brusque, elle abaissa ses lunettes de soleil pour mieux le toiser. Avec sa peau bronzée et le collier de coquillages qu'il portait autour du cou, il ressemblait à un autochtone. Ses cheveux blonds mi-longs n'avaient apparemment pas vu un peigne depuis plusieurs jours, de même que sa barbe naissante indiquait une absence récente de rasage. Son teint mat faisait ressortir le vert émeraude de ses yeux, et, franchement, il était fort séduisant. Et même plus encore… Mais cela ne l'autorisait pas à se montrer si… direct.

Il lui adressa un immense sourire.

— Si vous préférez, vous pouvez aussi vous mettre à l'ombre pour vous abriter… Je me ferais un plaisir de vous aider à vous installer.

Taylor sentit son sang se mettre à bouillir.

— Ecoutez, monsieur Carson…

— Dev, corrigea-t-il.

— Ecoutez, Dev, vous avez sans doute mieux à faire, non ?

« A part me harceler », faillit-elle ajouter.

— Je suis en vacances, répliqua-t-il tranquillement. Je n'ai pas de projets particuliers pour la journée.

Décidément, il avait réponse à tout !

— Eh bien, j'en suis très heureuse pour vous. Et pendant que vous continuez à ne rien faire, je vais, pour ma part, aller me baigner. Auriez-vous l'amabilité de me passer mon haut de maillot ? conclut-elle en essayant d'adopter son ton le plus froid.

— Bien sûr, acquiesça-t-il en lui tendant.

Cette fois-ci, elle n'avait plus aucun moyen de se cacher, songea-t-elle, un nœud au ventre. Soudain, elle entendit éclater de rire sa jeune voisine de plage hispanique. Celle qui, justement, lui avait donné le cran nécessaire de passer outre ses vieux tabous… Ce rire lui redonna du courage. Non, elle n'allait pas se contorsionner pour enfiler son soutien-gorge sans s'exhiber ! Elle allait se montrer digne, et… A cet instant, Dev Carson, avec une délicatesse qu'elle n'aurait pas soupçonnée, lui tourna le dos pour la laisser se rhabiller tranquillement.

— Avez-vous l'intention de faire de la plongée pendant votre séjour ici ? demanda-t-il en contemplant l'étendue turquoise qui s'étalait devant lui.

— Non, répliqua-t-elle brièvement en se débattant avec le soutien-gorge qu'elle peinait, étrangement, à remettre en place.

— Ces récifs sont d'une beauté rare, vous savez. On dirait des palais sous-marins.

— Mon idée de vacances idéales serait plutôt de rester toute la journée à ne rien faire…

Avec un timing parfait, qui ne devait visiblement rien au hasard, Dev se tourna de nouveau vers elle, juste au moment où elle finissait de se rajuster. Difficile de ne pas lui être reconnaissante de cet accès de galanterie…

— Avez-vous déjà séjourné ici ?

— Non, jamais, avoua-t-elle.

— Alors vous devriez absolument voir ces récifs, au moins une fois dans votre vie. Et puis, cela vous permettra d'en vanter les mérites à vos clients.

— Je leur montrerai des photos, affirma-t-elle en se levant. Gardez vos palmes et votre tuba. Moi, je préfère le repos.

— N'hésitez pas à venir me voir si vous changez d'avis, se contenta-t-il de dire poliment.

Elle eut un petit rire.

— Ça m'étonnerait. A plus tard, peut-être. Je pars me baigner.

Dev s'installa nonchalamment sur un transat libre. Près du sien.

— A plus tard. De mon côté, je vais jouir de la vue magnifique que l'on a d'ici.

Sans répondre, elle se dirigea droit vers la mer. Mais la conscience du regard brûlant qui la suivait la troublait plus qu'elle ne l'aurait voulu. A moins qu'elle ne se fasse des idées ? Avec toutes les jeunes femmes dévêtues qui paradaient sur cette plage, il avait sans doute trouvé mieux à regarder… Au moment où elle atteignit le rivage, elle ne put s'empêcher de jeter un coup d'œil par-dessus son épaule.

Aussitôt, Dev lui adressa un petit salut de la main, preuve qu'il ne l'avait pas quittée des yeux.

Taylor rougit et entra dans l'eau sans plus attendre.

Il n'y avait pas d'autre mot : elle était bel et bien au paradis. La caresse délicate de l'eau tiède sur sa peau, le bleu immaculé du ciel répondant à celui, légèrement plus clair, de la mer dans laquelle elle se baignait… Tout était parfait.

Submergée de bien-être, Taylor fit quelques brasses, avant de s'immerger complètement. Ouvrant les yeux sous l'eau, elle aperçut quelques poissons multicolores frayant entre les plants d'algues ondoyantes. Oui, vraiment, un tel endroit s'apparentait au paradis terrestre, songea-t-elle en remontant à la surface pour prendre une bouffée d'air. Sauf que, dans le jardin d'Eden, aucun homme du nom de Dev Carson ne serait là pour la plonger dans l'embarras et l'empêcher de jouir pleinement de sa félicité…

Avec un peu de chance, elle ne le croiserait plus de si tôt. Après tout, il y avait plus d'une centaine de clients dans l'hôtel, et elle passerait peut-être inaperçue au milieu. Sans compter que Dev jetterait sûrement son dévolu sur une autre jeune femme venue passer ici quelques jours de vacances en solitaire.

Fronçant les sourcils malgré la sérénité qui l'habitait en cet instant divin, elle dut s'avouer que l'idée de voir Dev s'intéresser à quelqu'un d'autre ne la soulageait pas tant que ça. Pour être honnête, elle n'aurait pas écarté l'idée d'une aventure sans lendemain avec lui s'il n'avait pas été l'un de ses clients… et un client mécontent, de surcroît !

En sommeil depuis plusieurs années, son tempérament audacieux se réveillait sous ce climat diablement sensuel, et elle n'aurait pas été mécontente de renouer avec la jeune femme qu'elle était avant de connaître Bennett. Une jeune femme libre et assumant pleinement ses désirs.

Le problème, c'était qu'aucun homme ne lui avait réellement tapé dans l'œil depuis son arrivée à l'hôtel… Aucun, sauf Dev Carson. Quel dommage qu'il lui tienne encore rigueur de leur petite querelle commerciale !

« Bon, ça suffit, Taylor », s'intima-t-elle avec détermination en faisant la planche pour contempler le bleu immaculé du ciel tropical. Elle n'allait tout de même pas se gâcher des vacances, ô combien méritées, en pensant à ses soucis professionnels…

Le mieux était d'ignorer Dev Carson et de se détendre le plus possible. Et si l'occasion de s'autoriser une petite aventure se présentait, tant mieux… Sinon, elle aurait toujours le ciel et la mer pour combler ses sens en alerte.

Les dernières lueurs rosées du coucher de soleil perçaient encore à travers la végétation foisonnante qui encadrait l'entrée du restaurant de l'hôtel. Tout le long du chemin qui y menait, de petites lanternes venaient de s'allumer, comme autant de lucioles scintillant dans la nuit tombante. Taylor, souriant à la vue d'un petit singe perché dans un arbre, inspira à pleins poumons l'air qu'embaumaient des effluves d'aloès.

A la fin de cette première journée de vacances, elle se sentait véritablement revivre, comme si elle sortait enfin d'un très long sommeil. Elle avait commencé à se détendre réellement après sa baignade, où elle avait pu se reposer en toute sérénité. Quand elle était revenue vers son transat, Dev Carson avait disparu. S'interdisant formellement de ressentir la moindre déception, elle avait opté pour une petite sieste au soleil. Vivre un amour de vacances avec un parfait inconnu, pourquoi pas. Mais s'autoriser une aventure avec un client était la pire chose à faire. Il semblait avoir abandonné la partie. Tant mieux. Et tant pis, ne put-elle s'empêcher de penser avant de sombrer dans le sommeil, si elle ne revoyait plus sa somptueuse musculature au cours de son séjour…

Au bout du chemin conduisant au restaurant, une vaste terrasse surplombait la mer. C'était là, sous un modeste « toit » en palmes, que les clients de l'hôtel prenaient le plus souvent leur repas. Sous des cieux aussi cléments, une construction en dur était superflue. L'auvent qui avait été installé ne servait qu'à protéger les convives d'une éventuelle averse. Deux bassins surmontés de fontaines sculptées encadraient la salle à manger en plein air, auxquels répondait une cascade naturelle un peu en contrebas. Le doux murmure de l'eau contre la roche avait quelque chose de profondément apaisant, constata-t-elle, enchantée par le cadre.

Taylor se présenta à l'accueil du restaurant.

— *Hola, señorita*, lança joyeusement un jeune homme à la peau très brune, dont le badge annonçait son prénom : Raoul. Souhaitez-vous dîner ?

— *Si, gracias*, répondit-elle en se servant du peu d'espagnol qu'elle connaissait. *Un asiento, por favor.*

Les yeux de l'employé s'éclairèrent.

— *Habla Español ?*

Taylor eut un rire embarrassé.

— *Un poquito, un poquito.*

Raoul attrapa un menu sur une pile et la conduisit à une table située face à la mer, tout près de la cascade. « Vraiment, cet endroit est délicieux » songea-t-elle en admirant la décoration inspirée du style maya, les bougies colorées qui brillaient sur chaque table et le bois exotique des chaises délicatement sculptées. Un air de guitare espagnole venait parfaire une ambiance déjà très chaleureuse. Décidément, tout cela ressemblait à un rêve...

Sauf que la table devant laquelle Raoul s'arrêta n'était pas libre. Dev Carson s'y trouvait déjà.

Il se leva aussitôt à leur approche et s'adressa à Raoul.

— *Gracias, amigo*, le remercia-t-il dans un sourire.

— *De nada,* murmura l'employé avant de s'éclipser en un clin d'œil, sans laisser à Taylor le temps de protester.

Désemparée, elle plongea son regard dans celui de Dev. Il le lui rendit sans mot dire.

Seigneur ! Il était encore plus attirant que cet après-midi... Avec sa chemise blanche qui mettait en valeur son bronzage et ses prunelles vertes, au fond desquelles brillait une lueur indéfinissable, il aurait tenté la plus raisonnable des femmes. Taylor sentit son estomac se nouer, incapable de prononcer une parole, encore moins de bouger.

— Le fuchsia vous sied à merveille, dit-il d'une voix chaude en examina de bas en haut sa courte robe rose.

L'entendre parler la sortit de sa torpeur.

— Ecoutez, monsieur Carson...

— Dev, insista-t-il de nouveau.

— Ecoutez, reprit-elle sans relever sa remarque, je sais que vous me tenez rigueur de ce qui s'est passé à Baltimore, et en un sens je le comprends. Mais je suis ici en vacances, et j'apprécierais que vous me laissiez en profiter. Si vous avez d'autres doléances, passez donc à l'agence la semaine prochaine, quand je recommencerai à travailler. D'ici là, j'ai envie d'avoir l'esprit libre. *Buenas noches*.

Sur ces mots, elle tourna les talons. Mais Dev bondit sur ses pieds et se planta devant elle.

— Ne partez pas, souffla-t-il. Faites-moi le plaisir de dîner avec moi.

Taylor ne sut que répondre.

— Un simple dîner, plaida-t-il. Je vous jure que je ferai tout pour que vous passiez un bon moment. Quant à ce qui s'est passé à Baltimore, je n'y pense déjà plus. Promis.

Devant son air dubitatif, il soupira et se rassit sur sa chaise.

— Je suis ici depuis trois semaines, vous savez, poursuivit-il. J'ai effectué je ne sais plus combien d'heures de plongée, essayé le parachute ascensionnel, visité toutes les ruines environnantes et fait ami-ami avec tous les employés. Franchement, je serai heureux de pouvoir discuter un peu avec quelqu'un qui n'est pas payé pour se montrer aimable avec moi.

Taylor sourit. Cet aveu acheva de la convaincre. Après tout, qu'y avait-il de mal dans un simple dîner ?

Tout en prenant place en face de lui, elle le questionna :

— Ne me dites pas que vous avez dîné seul tous les soirs ?

— Eh bien… Comme je vous l'avais dit, je n'étais pas vraiment d'humeur à avoir de la compagnie, ces derniers temps. Mais depuis une semaine, je me sens beaucoup plus sociable.

« Sociable » sonnait un peu faux, constata-t-elle en l'observant avec acuité. En fait, en dépit de son attitude plutôt détendue, il la regardait un peu comme un chasseur fixe sa proie… Cette perspective lui arracha, malgré elle, un bref frisson.

Le serveur fit son apparition pour leur proposer une boisson. Taylor lui commanda une bière.

— Puisque vous êtes au Mexique, pourquoi ne pas vous laisser tenter par un petit verre de tequila ?

Elle laissa échapper un petit rire.

— Pourquoi pas, en effet ?

— *Herradura, por favor,* demanda Dev. *Y dos cervezas.*

— Qu'est-ce que l'*herradura* ? demanda-t-elle, un peu suspicieuse en regardant s'éloigner le serveur.

— La meilleure tequila au monde. Celle que vous pouvez déguster sans avoir besoin de citron ou de sel pour faire passer le goût.

— Etes-vous connaisseur en la matière ?

Elle le vit hausser les épaules.

— Trois semaines au Mexique permettent d'apprendre bien des choses. Surtout si vous vous montrez attentif à ce qui vous entoure.

« C'est vrai, songea-t-elle, voilà un homme qui semble capable d'une certaine attention envers autrui… »

Quand le serveur eut apporté leurs verres, Dev leva le sien pour trinquer.

— Aux vacances.

— Aux vacances ! s'exclama-t-elle en l'imitant, avant de boire prudemment une gorgée de tequila.

A sa grande surprise, l'alcool ne lui brûla pas la langue, mais s'immisça en elle comme une douce chaleur. Tout en se délectant de la saveur délicate qui lui chatouillait le palais, elle leva les yeux vers Dev — qui l'observait avec un sourire.

— Ça vous plaît ?

Elle hocha la tête avant de déguster une nouvelle gorgée.

— Je suis agréablement surprise. A l'université, j'ai été dégoûtée de la mauvaise tequila que buvaient mes copains à longueur de soirée.

— Voilà pourquoi celle-ci se boit sans citron ni sel : elle est de très bonne qualité.

— Hum... murmura-t-elle en sentant que l'alcool commençait à faire son effet, en la réchauffant de l'intérieur. J'ai l'impression qu'il va falloir que je fasse attention... Ça se boit comme du petit lait, et si on n'y prend pas garde, on doit vite se retrouver à danser sur la table, complètement soûl !

Une lueur de malice s'alluma dans les yeux de Dev.

— Voilà un spectacle que je ne raterais pour rien au monde...

— N'y comptez pas trop, pouffa-t-elle.

— Et pourquoi pas, si l'envie vous en prend ? Les vacances sont faites pour ce genre de choses, vous ne croyez pas ? Ici, personne ne vous connaît...

— A part vous, corrigea-t-elle.

— Je ne le répèterai à personne, promis, jura-t-il en se penchant légèrement vers elle. Nous sommes coupés du monde ici, vous le voyez bien. Et ce qui se passera restera strictement entre nous, même de retour au pays. Bref, si vous voulez danser sur les tables, vous avez tout mon soutien.

— Quelle générosité de votre part, ironisa-t-elle.

— N'est-ce pas ? Bon, et si vous ne voulez pas danser sur les tables, quels sont vos projets pour les jours à venir ?

— Je ne sais pas. Sans doute en faire le moins possible pendant une semaine ! Je n'ai pas pris de vacances depuis presque cinq ans, vous savez. Je pense beaucoup trop à mon travail, et je passe mon temps à me dire que je devrais en profiter davantage... mais justement, je ne trouve jamais le temps de le faire !

— Ici, vous allez pouvoir vous détendre. Moi, cela m'a pris quelques jours, mais une fois lancé... je me demande bien comment je vais trouver le courage de me remettre au travail, plaisanta-t-il.

— Que faites-vous dans la vie ?

Elle le vit secouer la tête.

— Ah... Baltimore n'existe plus, souvenez-vous ! Du moins pas tant que nous sommes ici. Pourquoi parler du monde réel alors que nous sommes au paradis ?

Le serveur apporta les bières qu'il avait commandées. Dev remplit leurs verres et leva de nouveau le sien.

— Au paradis ! trinqua-t-il en la regardant droit dans les yeux.

Elle porta un toast avec lui, un peu troublée.

— Bon, vous parliez d'en faire aussi peu que possible pendant une semaine, reprit-il. Qu'entendez-vous par là ?

Elle haussa les épaules.

— Me prélasser sur la plage, dormir tout mon soûl, lire un ou deux livres...

Evidemment, avouer qu'elle rêvait de s'offrir un amour de vacances ne se faisait pas... Même si elle aurait juré, en cet instant, que Dev se serait fait un plaisir de poser sa candidature.

A mesure que le feu de la tequila se répandait dans ses veines, elle se sentait de plus en plus légère — et plus audacieuse, aussi. S'autoriser une aventure avec Dev lui semblait tout à coup une idée bien moins saugrenue que cet après-midi... Mais aussi, pourquoi était-il si attirant ?

Sans réfléchir, elle ajouta :

— J'ai l'intention de me détendre au maximum. Peut-être en dansant ou en flirtant un peu... Après tout, je suis en vacances, non ?

Il lui sembla que les yeux de Dev brillaient de plus en plus.

— Mais absolument ! s'exclama-t-il. D'autant qu'ici, tout est compris. Le personnel accèdera au moindre de vos désirs. En passant, je vous rappelle que les employés me considèrent un peu comme un des leurs, désormais…

Elle le dévisagea avec un petit sourire en coin.

— Dois-je comprendre que vous m'offrez vos services ?

De nouveau, il se pencha vers elle. Sa voix se fit rauque, presque voluptueuse.

— Mademoiselle DeWitt, je suis tout à vous.

Taylor se sentit frissonner. Seigneur ! Allait-elle vraiment se laisser tenter par une aventure avec un homme vivant dans la même ville qu'elle — et un client, de surcroît ?

« Baltimore n'existe plus… » Les mots de Dev lui revinrent à la mémoire. « Les vacances sont faites pour ce genre de choses, vous ne croyez pas ? » Si, elle le croyait. Après tout, où était le mal ? Le moment était peut-être venu de renouer avec sa véritable personnalité…

Jamais il n'avait vu une femme se délecter autant en mangeant une tarte à la mangue, songea Dev en regardant Taylor déguster son dessert. Lorsqu'il la vit passer sa langue sur ses lèvres dans un geste gourmand, il sentit son pouls s'accélérer. Et, à vrai dire, ce n'était pas la première fois depuis deux heures… Loin de là !

Depuis toujours, il se considérait comme un homme solide, ambitieux et déterminé. En général, lorsqu'il se fixait un objectif, il finissait par l'atteindre. Ce qu'il désirait — femmes comprises — il l'obtenait. Et, en cet instant, il désirait Taylor DeWitt plus que tout au monde.

Au début, ce n'était qu'un jeu. Il avait voulu s'amuser, peut-être flirter un peu. Mais, au cours de la journée, et encore plus de la soirée, son envie d'elle s'était développée au point de devenir presque intolérable.

La regarder manger n'avait fait que la rendre plus attirante. De plus en plus tentante. Contrairement à la plupart des femmes, qui chipotaient dans leur assiette pour cause de régime, Taylor mangeait avec un plaisir qui ne pouvait que fort bien augurer du reste… En un éclair, il l'imagina sous lui, ouverte, offerte, tandis qu'il la menait au comble de la jouissance…

Taylor repoussa son assiette vide, un sourire repu aux lèvres.

— C'était absolument délicieux.

— En effet, vous aviez l'air d'apprécier…

— J'apprécie encore mieux la nourriture quand c'est quelqu'un d'autre qui se charge de la préparer et de faire la vaisselle ! En attendant, je suis plus que rassasiée… Si je ne me lève pas bientôt, je crois que vous serez obligé de me porter jusqu'à ma chambre !

Dev sentit une légère décharge d'adrénaline le parcourir.

— Mais avec joie…

Taylor eut un rire de gorge.

— Je crois que j'arriverai à me lever toute seule… Disons que j'ai besoin d'un peu d'encouragements.

Pas besoin de le lui dire deux fois… Dev se leva et lui tendit la main.

— Alors je vais vous aider. Voulez-vous danser avec moi ?

Depuis la fin du dîner, la douce musique d'ambiance s'était faite plus insistante, plus envoûtante aussi. Quelques couples dansaient déjà, enlacés sur la piste prévue à cet effet, aux sons chauds de la musique latino.

Taylor leva un sourcil coquin.

— Je n'osais plus l'espérer !

— Moquez-vous… Mais préparez-vous à une révélation !

— La danse fait-elle partie de tout ce que vous avez appris durant votre séjour ici ?

— Disons que j'ai amélioré les bases que j'avais déjà. Vous savez, je suis un homme aux multiples talents...

La prenant par la main, il l'entraîna sur le parquet clair de la piste de danse. Taylor, un peu grisée par l'alcool et l'atmosphère presque charnelle de cette nuit tiède, frémit de la tête aux pieds quand la main gauche de Dev lui enlaça la taille, tandis que la droite retenait toujours la sienne, délicatement. Une onde de chaleur se propagea en elle, et elle eut toutes les peines du monde à ne pas se lover contre lui.

Ils commencèrent à danser, tout proche l'un de l'autre. Dans l'espoir de diminuer un peu le trouble qui montait en elle, Taylor s'excusa :

— Vous savez, je n'ai aucune idée de la façon dont on danse sur ce genre de musique...

— C'est une rumba. Laissez-vous guider.

Les accords de guitare s'envolaient dans l'air moite, l'enveloppant comme une nuée de rayons de soleil tropical. Au bout de quelques minutes, une femme à la peau mate et à la longue robe rouge vint prendre possession du micro, dans lequel elle susurra un chant espagnol, qui parlait sûrement d'amour, à en juger par les regards de feu qu'elle lançait tout en chantant.

Se laisser guider par les mains de Dev, par son corps tout entier, constituait une expérience particulièrement enivrante. Elle sentait avec délices ses muscles durs contre sa peau, à peine protégée par la mince étoffe de sa robe. Lorsqu'elle leva les yeux vers lui, elle s'aperçut qu'il l'observait avec acuité. Ses immenses prunelles vertes brillaient dans la pénombre, et la fixaient comme s'il voulait graver les traits de son visage dans sa mémoire, à jamais.

En silence, ils dévalèrent la dune menant à la mer.

Dev se pencha pour murmurer à son oreille :

— La première fois que je suis venu ici la nuit, je ne parvenais pas y croire. J'ai eu l'impression de pénétrer dans un autre univers. Le monde que je connaissais n'existait plus.

Pour être honnête, cela n'avait pas été si facile d'oublier le reste du monde… Il lui avait même fallu beaucoup de soleil, de plongées sous-marines dans les récifs et de nombreuses heures de sommeil pour oublier qu'il avait surpris sa fiancée dans les bras d'un autre homme. Il avait beau savoir depuis longtemps, au plus profond de lui-même, qu'ils n'étaient en réalité pas faits l'un pour l'autre, le choc avait été rude. Surtout pour son amour-propre… Dans l'espoir de soigner cette blessure narcissique, il avait même flirté avec une ou deux vacancières. Mais rien de bien sérieux : aucune d'entre elles ne lui avait donné envie de pousser plus loin qu'un simple baiser avant d'aller dormir.

Mais avec Taylor, les choses étaient différentes, il le sentait.

A cette heure-ci, la plage baignée d'un clair de lune presque irréel semblait déserte. Les autres touristes étaient sans doute occupés à applaudir le spectacle de danses traditionnelles mexicaines offert par l'hôtel. Voilà ce qui lui donnait l'impression délicieuse que Taylor et lui étaient désormais seuls au monde…

Il cueillit une fleur d'hibiscus d'un carmin éclatant, se tourna vers Taylor et la glissa derrière son oreille.

— Voilà qui est mieux… Vous ressemblez bel et bien à une autochtone, maintenant.

— C'est surtout vous qui ressemblez à un habitant du coin, avec votre bronzage et votre collier de coquillages…

Machinalement, il porta sa main à son collier.

— C'est un cadeau qu'on m'a fait à la fin de la première semaine…

— Je suppose que ce « on » est en fait un « elle », ironisa Taylor.

— Vous savez, il s'agissait de la fille d'un employé… Et elle avait seize ans tout au plus !

— Alors vous n'êtes pas l'un de ces pervers qui…

— Les jeunes filles ne m'intéressent pas, coupa-t-il en la regardant droit dans les yeux. Je préfère les vraies femmes.

Taylor avala sa salive avec difficulté, de plus en plus troublée par cet homme qu'elle connaissait à peine et qui lui semblait soudain si proche.

De nouveau, Dev s'empara de sa main.

— Allons nous promener au bord de l'eau, proposa-t-il.

Arrivés sur la plage, ils ôtèrent leurs sandales pour jouir du contact soyeux du sable blanc contre leur peau nue. Débarrassé de toute présence humaine, l'endroit, déjà magique durant la journée, avait vraiment quelque chose de féerique. Le bruit régulier des vagues venant s'écraser doucement sur la rive, le murmure des insectes tropicaux dans la nuit claire, la lueur de la lune déposant sur les flots une myriade de reflets argentés… Oui, vraiment, tout concourait à créer une atmosphère extraordinaire.

Dev guida Taylor à travers les palmiers et l'entraîna vers le ponton de bois qui s'avançait dans les flots sombres. Puis il leva la tête pour contempler la voûte céleste.

— Les étoiles paraissent différentes, ici, l'avez-vous remarqué ? demanda-t-il à voix basse. On dirait qu'elles brillent davantage. Vous voyez la croix du Sud ? On a rarement la chance de pouvoir l'observer chez nous.

Taylor se rapprocha de lui, frôlant brièvement son bras.

— Où ça ?

A son tour, il fit un pas vers elle. Ils étaient désormais tout près l'un de l'autre. Pointant son doigt vers la constellation, il chuchota :

— Ici. Regardez comme elle est belle.

— Magnifique..., souffla Taylor, visiblement sous le charme. Connaissez-vous le nom des autres ?

— Quelques-unes. Je m'intéressais beaucoup à l'astronomie étant enfant. Voici la constellation du Sagittaire, et celle du Scorpion, indiqua-t-il de la main droite.

Ce faisant, il effleura la chevelure de Taylor, dont la douceur lui fit l'effet d'une caresse affolante sur l'avant-bras.

— Pourquoi les constellations portent-elles toutes des noms d'animaux ?

— Ce n'est pas le cas. Il y a aussi Persée et Orion, qui étaient des guerriers, et Cassiopée, une prophétesse.

— Ils ne vont jamais en couple..., remarqua Taylor d'une voix songeuse. Pourquoi ceux qui ont baptisé les étoiles à l'origine ne voyaient jamais d'amants dans le ciel ?

— Ils en ont vus, sourit Dev. Mais dans les livres d'astronomie, ça ne ferait pas très sérieux...

Alors, très doucement, Taylor se blottit contre lui, les yeux toujours levés vers le ciel. Dev sentit son cœur se mettre à battre un peu plus vite. Emu et excité à la fois, il passa un bras autour de son épaule. La magie du moment le gagnait plus encore qu'il ne l'aurait cru...

— J'aime l'idée qu'il y ait des amants là-haut, murmura-t-elle.

— Et que pensez-vous des amants qui sont... ici-bas ? dit-il en enfouissant son visage dans les cheveux de Taylor, dont le parfum de noix de coco opéra sur lui comme un aphrodisiaque.

Taylor, sans se dégager de leur étreinte, se retourna pour lui faire face. Dans ses grands yeux bruns aux mille reflets de lune, il lut comme une promesse. Comme un défi, aussi. Avant qu'il ait le temps de reprendre la parole, elle pressa doucement ses lèvres contre les siennes. Envahi par un désir impérieux, il s'obligea à ne goûter que la pulpe de ses lèvres, sans promener ses mains sur ce corps dont le contact sensuel provoqua d'immédiates réactions dans la région de son bas-ventre… Il retint de justesse un gémissement d'excitation.

Mais aussitôt, Taylor fit un pas en arrière.

— Et vous, que pensez-vous des amants… qui se trouveraient dans l'eau ? demanda-t-elle d'un air mutin.

— Mais nous n'avons pas de maillot, fit-il remarquer sans la lâcher des yeux.

— Hum… C'est juste. Et je détesterai abîmer ma jolie petite robe.

Comme dans un rêve, il la regarda ôter ladite robe, d'un geste sûr et proprement affolant. L'instant d'après, elle se dressait devant lui, entièrement nue.

Dev en resta figé sur place. Sa bouche s'assécha en l'espace d'une seconde, son souffle se fit court. Grande et mince comme il l'avait remarqué, Taylor n'en possédait pas moins une poitrine généreuse, des hanches voluptueuses, des jambes parfaitement galbées… bref, des courbes à damner un saint. Sous la clarté de la lune, sa peau encore pâle semblait pareille à du satin, et il brûla de la couvrir de baisers.

Avant qu'il ait eu le temps de l'admirer tout son soûl, elle se plaça tout au bord du ponton.

— Vous êtes en train de prendre du retard, monsieur Carson. Si j'étais vous, je me dépêcherais, lança-t-elle avec provocation en le regardant par-dessus son épaule.

Et, sur ces mots qui le laissèrent pantois, elle plongea.

3.

La mer tiède l'enveloppa comme une caresse. A l'aise comme un poisson dans l'eau, elle fit quelques brasses en se délectant du contact divin des vaguelettes contre son corps entièrement nu. Puis elle émergea à la surface en riant gaiement de sa propre audace. Quelle délicieuse sensation de liberté...

Surprise, elle constata que Dev ne se trouvait plus sur le ponton. Promenant son regard alentour, elle ne le vit pas davantage dans l'eau. Pourtant, il devait bien être dans les parages, non ? Dev Carson ne semblait pas homme à refuser de relever un défi... surtout celui-là !

Elle eut un coup au cœur quand il surgit tout près d'elle par surprise, dans une grande gerbe d'eau salée.

— Seigneur... Vous venez de raccourcir ma vie de dix ans ! s'écria-t-elle en portant, par réflexe, une main à sa poitrine.

Elle le vit sourire dans la pénombre nimbée de lune.

— Pourquoi ? Vous avez cru que j'étais un monstre marin ?

En fait de monstre, il ressemblait plutôt, en cet instant, à un dieu des mers, songea Taylor, hypnotisée par le magnétisme de son regard et par les muscles impressionnants de ses épaules.

— On ne sait jamais ce qui grouille sous la surface, plaisanta-t-elle, avant de le voir de nouveau disparaître.

Retenant son souffle, elle sentit quelque chose de ferme et de doux à la fois effleurer la cambrure de ses reins.

Dev refit surface un peu plus loin.

— C'est vrai, vous prenez un risque à nager toute seule ainsi, en pleine nuit… Qui vous dit qu'un poisson féroce ne va pas vouloir goûter un morceau de cette chair si appétissante ?

— Vous avez raison, répliqua-t-elle en entrant dans son jeu. D'ailleurs, quelque chose vient justement de me toucher…

— Ces maudits poissons n'en loupent pas une ! s'exclama-t-il en feignant l'indignation.

En quelques secondes, il fut de nouveau tout près d'elle.

— Raison de plus pour ne pas trop vous éloigner de moi, mademoiselle, dit-il dans un sourire carnassier. Je vous offre ma protection contre les mauvaises rencontres…

— Dire que je voulais simplement nager un peu… Et tout ce danger que je n'avais pas prévu ! plaisanta-t-elle.

— Certes, mais vous tentez le diable, à nager sans maillot de bain…

— Je ne pouvais plus attendre, murmura-t-elle, soudain hors d'haleine alors qu'elle ne nageait plus, venant de se rendre compte qu'elle avait pied à cet endroit.

— Moi non plus, je ne peux plus attendre, souffla-t-il en plongeant son regard brillant dans le sien.

Taylor sentit sa bouche s'assécher.

— Et… qu'attendez-vous ?

— Vous.

Il allait poser une main sur son bras, mais, avec une espièglerie accrue, elle lui échappa en plongeant prestement. Une fois sous l'eau, elle le frôla à la hauteur du bas-ventre, troublée par le contact si dur de ses muscles abdominaux. Dev tressaillit et elle sentit qu'il se lançait à sa poursuite. Mais, le cœur battant, elle s'esquiva encore en nageant aussitôt dans une autre direction.

La respiration saccadée, ils refirent tous deux surface en même temps, et éclatèrent de rire à l'unisson.

— Alors comme ça, vous voulez jouer au chat et à la souris avec moi ? demanda-t-il, l'air railleur.

— Qui est le chat et qui est la souris ? répondit-elle sur le même ton en disparaissant de nouveau sous l'eau.

Cette fois-ci, elle fila droit sur lui… et plus précisément sur ce ventre plat qu'elle venait d'effleurer, et qui lui avait tant plu. Elle lui prodigua quelques agacements avant de se dérober à la main ferme qui tentait de la retenir.

— Faites attention à ce que vous attrapez là en bas, ironisa-t-il quand elle eut réapparu. Vous pourriez abîmer quelque chose dont j'aurais besoin plus tard dans la soirée…

Elle pouffa avec bonne humeur.

— Si j'étais vous, je craindrais plutôt qu'un poisson ne le prenne pour une grosse algue ondulant au gré du courant et ne décide d'en faire son souper !

Il lui adressa un sourire à la blancheur étincelante.

— N'ayez crainte. Je peux vous dire qu'il est loin d'onduler au gré du courant en cet instant précis…

Ce fut au tour de Dev de se jeter sur elle avec la rapidité d'un prédateur marin. Ses larges paumes vinrent se placer sous ses fesses nues, lui arrachant un frisson délicieux de tout le corps. Puis elles remontèrent lentement le long de son dos pour finir sur ses seins nus, dont la pointe se mit immédiatement à durcir. Taylor retint de justesse un gémissement de plaisir. Dieu que c'était bon de sentir ces mains chaudes sur sa poitrine…

Soudain, l'atmosphère changea entre eux. Finis, les petits jeux, les taquineries, les chatouilles… Une vague de désir les submergea en même temps, et Taylor s'abandonna aux doigts experts de Dev qui entreprirent de caresser les globes satinés qu'elle lui livrait avec une excitation croissante.

Il fit un pas de plus et, sans transition, l'attira tout contre lui pour ravir sa bouche. Ses mains semblaient se poser partout à la fois, comme par magie. Taylor sentit une décharge d'adrénaline la parcourir tout entière. Frissonnant d'excitation, elle lui rendit son baiser avec une fougue qui l'étonna elle-même. Seigneur, il y avait si longtemps qu'elle n'avait pas éprouvé de telles sensations… D'ailleurs, avait-elle déjà ressenti ce tourbillon d'émotions érotiques qui prenait possession de tout son être ? Leurs baisers, de plus en plus avides, ne faisaient qu'accroître le désir qu'elle avait pour lui, et qu'elle ne maîtrisait plus.

Dans un élan de passion, elle s'agrippa à ses épaules et passa ses jambes autour de sa taille. L'apesanteur offerte par l'eau de mer rendait ses gestes plus fluides, plus faciles… plus excitants aussi. Le contact de son ventre contre celui, plat et dur, de Dev lui arracha un nouveau tressaillement de bonheur. Car il n'y avait pas que ses muscles abdominaux qui étaient durs comme le roc… De toute évidence, il la désirait lui aussi. Elle aurait voulu l'accueillir en elle, là, tout de suite, sous ce clair de lune coquin et dans cette eau qui les berçait de sa tiédeur.

Son désir devint si aigu qu'elle en gémit. Ce qu'elle ressentait en cet instant n'avait plus rien à voir avec l'envie de profiter de ses vacances, ni même avec la tequila qui lui avait chauffé le ventre. Non, c'était quelque chose de plus fort, de plus troublant. Quelque chose d'animal. Elle voulait faire l'amour avec cet homme, et plus rien d'autre ne comptait.

Dev laissa échapper un grognement sauvage. Dans une telle position, ses mains posées sur l'affolante poitrine de Taylor et son sexe dressé tout contre le bas-ventre qui s'offrait à lui, il dut se retenir de toutes ses forces pour ne pas jouir. Non, ce n'était pas encore le moment… D'abord, il voulait l'entendre crier, chavirée par le plaisir qu'il lui donnerait. Sa bouche quitta les lèvres pulpeuses pour se loger dans le cou de la jeune femme, qu'il goûta avec une gourmandise vorace. Toute la journée, et plus encore toute la soirée, il avait brûlé de connaître la saveur de sa peau soyeuse. Bon sang… Comme c'était bon de pouvoir enfin assouvir son désir !

— Taylor… souffla-t-il au creux de son oreille. Tu es sûre que c'est ce que tu veux ?

D'une main, il caressa son ventre velouté.

Taylor s'arc-bouta contre lui en soupirant.

— Oh oui… Je te veux, toi.

Une nouvelle fois, il prit possession de ses seins, dont il agaça la pointe sombre. Incapable de se retenir plus longtemps, il baissa la tête pour refermer sa bouche sur l'un des mamelons, puis sur l'autre. Son propre sexe durcissait à chaque seconde, jusqu'à se tendre presque douloureusement. Mais il se força à rester concentré sur le plaisir qu'il voulait lui prodiguer. Sa main droite se glissa entre leurs corps et partit à la recherche du cœur de sa féminité. Avec une grande douceur, il écarta les boucles de la toison intime et s'introduisit dans les tendres replis de sa chair. Taylor se figea, le souffle court, le regard habité par une faim presque sauvage. Seigneur, qu'elle était belle, abandonnée ainsi à ses caresses !

Au moment où son index se posa sur son clitoris, Taylor crut qu'elle allait défaillir. D'abord lentement, puis de plus en plus vite, la main experte de Dev la titilla en petits cercles concentriques qui lui firent perdre la tête. Haletante, elle s'accrocha à lui de toutes ses forces et se laissa aller au plaisir inouï qu'il lui donnait. Ses hanches se mirent à onduler d'elles-mêmes pour mieux accompagner ses mouvements. Une vague d'ivresse monta en elle, impérieuse, irréversible. Et quand Dev pinça fermement un de ses tétons de la main gauche, elle atteignit l'orgasme avec une violence qui se répercuta dans chaque cellule de son corps. Un cri perçant lui échappa tandis qu'elle parvenait au paroxysme de la jouissance dans les bras musclés qui la retenaient. Son corps fut parcouru de soubresauts, reflets extérieurs des ondes exquises qui se propageaient en elle.

Toujours agrippée aux épaules de Dev, elle sentit ensuite tout son corps se relâcher dans un bien-être divin. Mais quand elle rouvrit les yeux, qu'elle avait fermés sans s'en rendre compte, et qu'elle croisa les prunelles enfiévrées qui la fixaient, le désir resurgit aussitôt, intact. Elle l'embrassa à pleine bouche, passionnément. Sa main, impatiente de lui rendre le plaisir qu'elle venait de prendre, se glissa jusqu'au membre raidi qui réagit sur-le-champ à son contact.

— Je crois qu'il faudrait faire quelque chose pour que nous soyons à égalité, chuchota-t-elle.

— En effet, répondit Dev en la dévorant des yeux. Allons dans ma chambre.

Elle déposa un léger baiser sur sa lèvre inférieure.

— Tu as besoin d'un lit ?

Il se dirigea lentement vers le rivage, Taylor toujours dans ses bras.

— Pour ce que j'ai en tête, j'ai surtout besoin d'un préservatif, répondit-il en souriant.

Dev referma la porte de sa chambre en toute hâte et plaqua Taylor au mur avec une fièvre qu'il ne chercha même pas à dominer.

— Tu portes encore beaucoup trop de vêtements, gronda-t-il en l'embrassant au creux du cou. Je veux te voir nue. Je *te* veux.

Taylor lui donna un baiser enflammé et, sans attendre, attrapa le bas de sa robe pour la remonter.

— Alors nous devrions peut-être cesser de perdre du temps, ronronna-t-elle en ôtant prestement son vêtement qu'elle jeta en boule dans un coin de la pièce.

Ivre de désir, Dev promena ses mains sur le corps aux courbes parfaites. Leurs langues se mêlèrent tandis qu'il faisait glisser ses paumes brûlantes le long de sa poitrine, de ses hanches pleines, de son ventre plat. Lentement, il posa un genou sur le sol et enfouit son visage entre ses cuisses satinées.

Dos au mur, Taylor, gémissante, eut l'impression de se liquéfier sous la caresse intime de la langue de Dev. Avec une agilité affolante, celle-ci la fouillait, l'agaçait, la menait au septième ciel. Seigneur, c'était si bon ! Le plaisir la prit par surprise, en un éclair. Jamais il n'était venu si vite… Emportée par une houle délicieuse, elle agrippa les cheveux de Dev de toutes ses forces, et jouit sous ses baisers en jetant un petit cri.

Il leva alors les yeux vers elle, un air de profonde satisfaction sur le visage. Eblouie par les sensations qu'il savait si bien faire naître, Taylor frémit en songeant à ce qui allait arriver. Lorsque Dev se remit debout, elle tira fébrilement sur les cordons qui retenaient son pantalon de soie noir, qui lui tomba bien vite sur les chevilles. Les jambes en coton, elle s'adossa de nouveau au mur et lui adressa un long regard, presque provocateur. Dev ne la fit pas attendre bien longtemps.

Plantant ses yeux au fond des siens, il la pénétra d'un brusque coup de reins.

Dev fut réveillé par un rai de lumière qui était parvenu à s'infiltrer sous ses paupières. Il voulut rouler sur le côté pour chasser l'importun rayon de soleil, mais se rendit compte, dans les brumes du sommeil, qu'il ne pouvait pas bouger : quelque chose d'assez lourd bloquait son bras droit. Soudain, la mémoire lui revint au contact de la peau douce du corps qui pesait sur lui. Par flashes délicieux, les souvenirs de la veille affluèrent dans son esprit. Leur première étreinte dans l'eau. Leur retour dans sa chambre. Le frottement divin de leurs épidermes brûlants l'un contre l'autre. L'expression de Taylor au moment de l'orgasme. Le plaisir incroyable, presque indicible, qu'il avait ressenti en la pénétrant…

Dire qu'ils avaient recommencé à faire l'amour quatre fois ! Jamais il n'avait tant désiré une femme.

Dans un sourire repu, il se lova contre elle et déposa un baiser dans ses fins cheveux blonds.

Taylor laissa échapper un petit grognement lorsqu'il bougea pour dégager son bras, qui commençait à s'engourdir sérieusement.

— Chut… souffla-t-il. Continue à dormir. Je veux juste récupérer mon bras.

Il se libéra doucement, en profitant pour admirer les courbes de son corps à moitié dissimulées par le drap. Mais, visiblement, il l'avait réveillée…

Elle ouvrit un œil, puis l'autre, l'air un peu déboussolé.

— Impossible que ce soit déjà le matin, murmura-t-elle. Quelle heure est-il ?

— Peu importe l'heure, ma belle. Tu es en vacances, tu te souviens ? Rendors-toi tranquillement.

Taylor fronça les sourcils machinalement. Se rendormir était en effet diablement tentant, mais ne serait sans doute pas si simple. Après tout, elle était dans le lit d'un homme qu'elle connaissait à peine, après une aventure d'une nuit ! Une passade mémorable, certes, mais qui n'en restait pas moins une passade… Elle n'avait pas pratiqué la chose depuis longtemps, mais, dans son souvenir, il valait mieux s'éclipser au plus vite dans une situation de ce genre. Elle se força donc à s'asseoir au bord du lit et s'étira de tout son long en s'incitant au courage. Elle pourrait tout simplement aller se recoucher dans sa chambre… Elle en aurait bien besoin ! Son corps, fourbu de passion, était parcouru d'élancements à la fois douloureux et délicieux. Au souvenir de ce qui les avait provoqués, elle ne put s'empêcher de sourire.

Etouffant un bâillement, elle se retourna vers Dev.

— Donne-moi une minute et je file, lança-t-elle d'une voix encore voilée par le sommeil.

L'instant d'après, elle se retrouva de nouveau allongée, immobilisée par les mains de Dev qui venait de la faire basculer sur le lit. Il approcha son visage tout près du sien :

— Qui a dit que je voulais que tu files ?

— Eh bien, je pensais juste que…

Elle s'interrompit, troublée par la traînée de baisers que Dev avait entrepris de déposer sur ses épaules.

— Qu'est-ce que tu pensais ? murmura-t-il au creux de son oreille, tandis que sa main caressa un de ses seins.

Une onde de plaisir se propagea en elle.

— Je pensais que nous venions de vivre une aventure d'une nuit…

Il lui mordilla doucement le lobe de l'oreille.

— Une aventure, si tu veux, acquiesça-t-il. Mais je ne crois pas que nous en ayons déjà fixé la durée…

Il glissa une main chaude entre ses cuisses, qui s'ouvrirent légèrement sans même qu'elle le veuille, comme si, dans les bras de Dev, son corps seul décidait.

— Il nous reste toute la semaine, non ? J'espérais bien te convaincre de ne pas t'en aller dès ce matin…

Une douce chaleur envahit son bas-ventre au moment où il se mit à la caresser. Chaleur qui s'accentua lorsqu'elle sentit son sexe durcir tout contre elle, à la hauteur de sa chute de reins.

— Je… Je… balbutia-t-elle, déjà emportée par une vague de volupté.

— Tu ne croyais quand même pas que j'allais te laisser partir sans avoir joui au moins une fois ce matin ?

Le va-et-vient de ses doigts s'accéléra subitement. Taylor gémit de bonheur, incapable de retenir l'orgasme qui arrivait. L'esprit et le corps en feu, elle se tourna vers lui pour l'embrasser à pleine bouche.

— J'ai tellement envie de toi, avoua-t-elle, chavirée.

— Ce sera un plaisir, mademoiselle, répondit-il en se couchant au-dessus d'elle.

— Crois-tu que tu serais capable de me porter jusqu'à la plage ? demanda Dev, allongé les bras en croix en travers du lit.

Blottie contre lui, elle ne put s'empêcher de rire.

— C'est toi qui as voulu recommencer, je te le rappelle…

— J'ai toujours aimé recommencer quelque chose qui fonctionne parfaitement, plaida-t-il avec humour.

Taylor pouffa de nouveau.

— Tu trouves que nous « fonctionnons » bien, c'est ça ?

— C'est même le moins que l'on puisse dire, non ? Je crois néanmoins que nous devrions continuer à faire quelques tests pour nous en assurer.

— Qu'est-ce que tu as en tête exactement ? demanda-t-elle en lui caressant la poitrine.

— Nous avons encore toute une semaine devant nous…

Il lui prit la main, l'inspecta un instant.

— Parfait. Pas de marque d'alliance, reprit-il avec un soulagement manifeste. Tu es visiblement libre, et Dieu sait si je le suis également. D'autre part, j'ai subi toute une batterie d'examens médicaux en vue de mon mariage… Et je suis en parfaite santé.

— Moi aussi. Je donne mon sang tous les mois.

— Voilà une bonne nouvelle. Alors qu'en penses-tu ?

— De quoi ?

— De continuer pendant toute la semaine.

— A coucher ensemble, tu veux dire ?

Il hocha la tête, l'air malicieux.

— A moins que tu aies passé la nuit — et la matinée — à simuler, et que tu ne souhaites plus jamais recommencer. Dans le cas contraire, je crois que nous pourrions facilement tomber d'accord : pas d'engagement, aucune obligation. Nous faisons simplement ce que nous voulons quand nous le voulons.

— Et nous ne cherchons pas à nous revoir une fois rentrés à la maison, ajouta Taylor.

— Absolument. Tu peux faire ce que tu veux et te servir de moi autant que tu veux en sachant que tu ne me reverras jamais... Tentant, non ?

— Si tu le dis, c'est que tu dois être sincère... Vraiment, tu promets de ne pas chercher à me retrouver à Baltimore ? s'inquiéta-t-elle, soupçonneuse.

Il se pencha sur elle et lui mordilla doucement l'épaule.

— Ce n'est pas que tu ne sois pas absolument délicieuse, ma belle, répliqua-t-il tranquillement, mais après ce que je viens de vivre ces dernières semaines, je ne risque pas de m'engager dans une nouvelle relation de sitôt.

Taylor le dévisagea avec amusement.

— Hmm... Tout cela mérite réflexion. Es-tu vraiment très endurant ? Je risque d'avoir envie très souvent, tu sais... Je détesterais te choisir parmi tous les mâles qui peuplent l'hôtel pour me rendre compte ensuite que tu n'es pas à la hauteur. Et si...

Feignant l'indignation, il la fit taire dans un baiser passionné. Puis il ajouta :

— Tu peux arrêter de chercher tout de suite. Je suis l'homme qu'il te faut.

— Vraiment ? dit-elle, faussement indécise.

— Tu vas voir, si je ne suis pas à la hauteur, gronda-t-il en prenant possession de sa poitrine d'une large paume avide.

A son tour, elle glissa une main le long de son ventre, pour empoigner son sexe dressé.

— En effet, on dirait que tu vas faire l'affaire, le taquina-t-elle.

— Je n'oublie jamais de prendre mes vitamines, tu sais.

— Parfait, murmura-t-elle en se penchant pour l'embrasser. Tu vas en avoir besoin.

4.

— Je préfère ta chambre à la mienne, annonça Dev, allongé sur le lit de Taylor sous les palmes du ventilateur qui brassait l'air moite.

Il la regarda, l'œil gourmand, ôter sa petite robe rose.

— Je ne vois pas en quoi elles sont différentes, nota machinalement Taylor.

— Moi si. Dans ta chambre, il y a toi.

Il l'examina des pieds à la tête tandis qu'elle enfilait son Bikini. Dieu, qu'elle était belle ! Mince mais pulpeuse, la peau claire commençant à peine à brunir après son bain de soleil de la veille, les cheveux dorés en bataille... Elle était magnifique. Aussitôt, en dépit de leur étreinte toute récente, il eut envie d'elle.

— Si tu veux que je te donne un coup de main pour t'habiller... ou te déshabiller, surtout, n'hésite pas, proposa-t-il en lui effleurant la cuisse du bout des doigts.

Elle lui lança un regard mi-figue mi-raisin.

— Ah non ! Ne recommençons pas — du moins pas tout de suite... Je suis venue ici pour me prélasser sur la plage, pas pour passer toutes mes journées enfermée dans une chambre !

— Même dans une chambre aussi jolie ? demanda-t-il en admirant les motifs artisanaux traditionnels qui ornaient les murs.

— Arrête un peu ça, pouffa-t-elle en fermant l'attache de son soutien-gorge.

— Et ça, c'est quoi ? s'enquit-il ramassant un appareil photo posé sur la table de nuit de bois exotique sculpté.

— A ton avis, ça ressemble à quoi ? dit-elle d'une voix railleuse.

— Tu n'es ici que depuis hier et tu as déjà pris trente-six photos ? s'étonna-t-il en examinant le compteur.

— Mais non… J'ai pris des photos de tous les sites que j'ai visités depuis mon départ de Baltimore, il y a deux semaines. Je les mettrai dans un album que je montrerai à mes clients désireux de s'évader sous les tropiques pour les aider à faire leur choix.

— Il te reste une prise, tu sais.

— Oui, remarqua-t-elle distraitement. Mets l'appareil dans mon sac, s'il te plaît, que je finisse la pellicule cet après-midi. Et allons-y, d'accord ? Je meurs d'envie de lézarder au soleil…

Quand ils sortirent de la chambre, un soleil radieux brillait à travers la végétation luxuriante. Ils n'avaient pas fait quelques pas sur le chemin bordé d'hibiscus et d'aloès qu'ils tombèrent nez à nez avec Raoul, le serveur du restaurant.

— *Hola, amigos* ! lança-t-il joyeusement.

— *Hola,* Raoul ! répliqua Dev en lui donnant une tape chaleureuse sur l'épaule.

Il se tourna vers Taylor.

— Je ne crois pas vous avoir présentés hier soir. Taylor, voici Raoul, l'employé le plus sympathique de l'hôtel. Raoul m'a initié à beaucoup de choses depuis mon arrivée ici : la pêche, la plongée… et la tequila, bien sûr !

Raoul éclata de rire.

— *Si,* nous sommes vraiment devenus *amigos.* Mais, vous, *señorita,* vous êtes beaucoup plus jolie à regarder que moi… et j'ai peur de ne plus voir Dev très souvent jusqu'à son départ !

— Ne parlez pas de départ, je vous en prie, soupira Taylor. Je viens tout juste d'arriver ! Et d'ailleurs, je ne sais pas si j'arriverai à repartir un jour…

— Ne vous inquiétiez pas, fit Raoul en clignant de l'œil. Quand on a séjourné une fois au Mexique, on en emporte toujours un petit morceau dans son cœur, où qu'on aille… Et puis vous pourrez toujours tapisser les murs de votre appartement de vos photos de vacances !

— A propos de photos, intervint Dev en sortant l'appareil du sac, n'oublie pas de finir cette pellicule, Taylor…

Une lueur malicieuse apparut dans le regard de Raoul.

— Un appareil, parfait ! Si vous le permettez, mademoiselle, je vais prendre une photo de vous deux… Ça vous fera un beau souvenir.

— Je ne suis pas sûre que…

Avant qu'elle ait eu le temps de finir sa phrase, Raoul lui prit l'appareil des mains et recula de quelques pas.

— Voyons, dans un endroit comme celui-ci, mes amis, il faut savoir se montrer romantique !

Elle sentit Dev lui passer un bras autour de l'épaule.

— Allons, sois un peu romantique… murmura-t-il dans son oreille. Et dis « sexe » pour la photo !

Taylor ne put s'empêcher de rire, juste au moment où Raoul appuyait sur le déclencheur.

— Ça fera une très jolie photo, prédit-il en rendant l'appareil à Dev. Maintenant, voulez-vous vous joindre à la partie de beach-volley que j'organise sur la plage ?

Taylor secoua la tête avec détermination.

— C'est très aimable à vous, mais non merci. J'ai rendez-vous avec un livre et une chaise longue tout l'après-midi.

— Ah, vous me brisez le cœur, *señorita*. Mais peut-être participerez-vous au jeu des célibataires que j'anime ce soir après le dîner ? A moins que vous ne soyez déjà prise, bien sûr…

Il leur adressa un sourire espiègle.

— Peut-être à tout à l'heure. Et bonne journée à tous les deux.

Taylor était en train de lire au soleil, langoureusement allongée sur un transat en bord de mer, quand une voix grave s'éleva au-dessus d'elle :

— Salut, beauté… Je peux te payer un verre ?

Elle leva les yeux et reconnut Dev, un sourire au coin des lèvres et deux gobelets en plastique à la main. Il se pencha vers elle et lui prodigua un baiser fougueux, qui dura davantage qu'il ne l'avait sans doute prévu… Comment expliquer qu'ils aient tant de mal à se détacher l'un de l'autre alors qu'ils se connaissaient depuis à peine vingt-quatre heures ? s'émerveilla Taylor en passant un bras autour de la nuque de Dev.

Leur étreinte se prolongea jusqu'à ce qu'une goutte de condensation ne s'échappe de la paroi du gobelet pour tomber directement sur son ventre. Surprise par ce contact froid et humide, Taylor sursauta.

— C'est si froid que ça ? demanda Dev en posant son doigt sur sa peau nue pour en ôter la goutte importune.

A ce simple contact, Taylor sentit une onde de chaleur sensuelle l'envahir. Dire qu'après avoir fait l'amour toute la nuit — et aussi toute la matinée ! — son désir ne s'épuisait pas… Bien au contraire, il semblait aller croissant.

Feignant le mécontentement, elle lui prit son verre des mains et décréta :

— Pas de mains baladeuses en public, s'il te plaît…

Dev afficha une expression faussement outrée.

— Quoi ? Je t'apporte gentiment un cocktail et tu me snobes ?

Il s'allongea sur le transat voisin du sien.

— Je croyais que la règle était « pas de règles », justement…

— Pas entre nous, confirma-t-elle, secrètement ravie qu'il veuille passer outre tout ce qui pourrait les empêcher de se toucher. Mais il y a peut-être des gens que cela choque, ajouta-t-elle en coulant un regard du côté du maître nageur accoudé au bar.

— Tu es adorable, répondit Dev en se penchant pour lui embrasser l'épaule. Fais-moi confiance, Jorge a bien d'autres préoccupations que de nous observer… Il essaie de séduire la serveuse du bar depuis mon arrivée !

Après vérification, il semblait bien avoir raison.

— Dans ce cas…, commença-t-elle d'un air provocant.

Tenant son gobelet au-dessus de sa poitrine nue, elle l'agita doucement, de façon à ce qu'une autre goutte tombe sur un de ses seins.

Elle croisa le regard de Dev, qui ressemblait en cet instant au loup de Tex Avery.

— Que t'arrive-t-il ? l'interrogea-t-elle avec une ingénuité feinte.

— Quelle vamp tu fais… finit-il par articuler, fasciné par son petit manège.

— Quoi ? Je ne comprends pas. Je suis tranquillement en train de lire, et toi tu oses insinuer des choses…

— Que lis-tu ?

Elle lui tendit son livre de nouvelles érotiques. Dev en parcourut quelques lignes, les yeux écarquillés.

— Ouh, là… Est-ce que ta mère est au courant de tes lectures ? plaisanta-t-il.

Taylor baissa ses lunettes de soleil pour lui décocher une œillade complice.

— Disons que je lis chaque année un ou deux romans encensés par la critique pour lui faire plaisir. Mais, le reste du temps, je lis pour *mon* plaisir…

Il eut un petit rire.

— Eh bien, au moins maintenant je sais pourquoi tu tenais tant à lire tranquillement sur la plage… Crois-tu que tu pourras m'en lire quelques passages le soir avant de dormir ?

— Hmm… Si tu te comportes bien, oui.

Il lui caressa doucement la cuisse, et elle se sentit, une nouvelle fois, envahie par un désir instantané.

— Je ferais de mon mieux, promit-il d'une voix chaude.

La sirène d'un bateau accostant au ponton tout proche leur fit lever les yeux. Un groupe de clients de l'hôtel, encadrés par deux membres du personnel portant des bouteilles d'oxygène et vêtus de combinaisons de plongée, se pressèrent pour embarquer.

Dev se tourna vers Taylor.

— Tu es sûre que tu ne changeras pas d'avis à propos d'une petite expédition sous-marine ?

Elle s'étira avec volupté, jouissant de la douce morsure du soleil sur sa peau.

— Franchement, non. Tout cet attirail encombrant, très peu pour moi !

— Tu n'as pas forcément besoin de tout ça, si tu plonges à une profondeur raisonnable. Un masque et un tuba suffisent amplement. Et un haut de maillot de bain, bien sûr.

Cette proposition lui arracha un soupir.

— Je t'en prie… Tout ce que je veux, c'est rester ici à ne rien faire.

— Ecoute, ça ne prendra qu'une demi-journée. Je suis certain que tu vas adorer.

— Je n'en sais rien… Et si ça ne me plaît pas, qu'est-ce que je reçois comme dédommagement ? demanda-t-elle d'un air mutin.

— C'est moi qui invite.

Elle haussa les épaules. Pourtant, elle fut sensible à l'attention.

— Ça ne suffit pas… Tu te rends compte que tu me demandes de renoncer à une demi-journée complète de farniente ?

Il plongea ses yeux dans les siens.

— Je te fais tout ce qui figure page 132 dans ton livre…

Elle en frissonna rien que d'y penser.

— Promis ?

— Promis.

Le bateau s'immobilisa à quelques encablures de la côte, au milieu d'une eau translucide. Taylor se félicita d'être une nageuse expérimentée : certes, avec une brise aussi douce, les petites vagues n'avaient rien d'effrayant, mais tout de même…

S'asseyant sur le bord, elle enfila ses palmes, puis son masque de plongée. Heureusement, sous un climat pareil, il était inutile de revêtir une combinaison de la tête aux pieds pour une simple exploration de la barrière de corail !

Dev était déjà dans l'eau. Il s'approcha d'elle.

— Tu es prête ?

D'un bond, elle le rejoignit dans les flots turquoise.

— Prête ? Pourquoi, il va y avoir des efforts à faire ? Tu m'as pourtant promis que ce serait de tout repos…

— Tu verras, avec les palmes ça ne représente presque aucun effort. Et puis il y a assez de courant dans ce coin pour te laisser porter. Mais si tu veux une bouée, je peux peut-être te trouver ça, railla-t-il.

— Je sais nager, merci.

— Oui, je vois ça.

Sans prévenir, il plongea sous l'eau et remonta à la surface au bout de longues secondes.

— Je n'avais pas encore vu ce Bikini, remarqua-t-il d'une voix chaude. En tout cas, je n'ai pas le souvenir de te l'avoir enlevé…

Elle sentit une main se poser sur la bretelle de son soutien-gorge et, en dépit de la situation, se prit à souhaiter que Dev aille jusqu'au bout… « Bon sang, mais je suis en train de perdre la tête ! » se raisonna-t-elle vigoureusement.

— Ne commence pas à faire des plans sur la comète, protesta-t-elle en écartant sa main. Nous sommes ici pour voir les récifs, souviens-toi. Bon, alors, où sont-ils ?

— Regarde en dessous de toi, répondit Dev en souriant avec malice.

Sans attendre, elle plongea la tête sous l'eau.

Si elle n'avait pas eu peur de s'étrangler, elle aurait sûrement poussé un cri de surprise… C'était à peine croyable.

Juste en dessous d'elle s'étendait tout un monde de beauté sous-marine. Un monde multicolore, où le rose des récifs coralliens le disputait à l'orangé des anémones de mer, au jaune des éponges et aux nuances vert sombre des massifs d'algues. Le tout, bien sûr, sur le fond d'azur de l'immensité océanique. Donnant un puissant coup de palmes, elle s'approcha pour mieux contempler ce spectacle féerique. Une colonie de poissons-perroquets passa dans son champ de vision, ainsi qu'une pieuvre aux gracieuses ondulations. Vraiment, c'était à couper le souffle…

Justement, elle commençait à manquer d'air. En un instant, elle refit surface, juste au moment où Dev faisait de même.

— Alors, qu'en penses-tu ? demanda-t-il, feignant la neutralité.

— C'est…, je n'ai jamais vu quelque chose d'aussi beau, reconnut-elle, émerveillée.

— Et encore, ça ne fait que commencer… Viens, on y retourne.

Ils s'immergèrent en même temps, nageant en rythme pour descendre plus bas qu'ils ne l'avaient fait la première fois. La barrière de corail, s'allongeant presque à perte de vue, offrait un panorama irréel. Au milieu de la végétation et des coquillages batifolaient des poissons de toutes les tailles et de toutes les couleurs, formant un ballet sous-marin d'une splendeur sans pareille.

Taylor sentit les battements de son cœur ralentir, comme si son organisme s'adaptait peu à peu à ce nouvel univers. Le temps s'étira comme par magie, une paix infinie l'envahit. Elle avait l'impression de ne faire plus qu'un avec l'océan, comme si elle se muait petit à petit en créature sous-marine. Eblouie par ces sensations nouvelles, elle observait chaque détail de la scène pour mieux le graver dans sa mémoire.

Au bout de plusieurs minutes, une légère brûlure dans ses poumons la fit remonter à regret. Elle avait l'impression qu'elle aurait pu passer le reste de sa vie dans ce monde si calme et si harmonieux.

— Il y a tant de choses à voir…, soupira-t-elle après avoir repris son souffle aux côtés de Dev. Je n'arrive pas à rester assez longtemps pour tout admirer.

— Ne t'inquiète pas, nous avons tout notre temps. Prends une grande inspiration et retournons-y.

Dev eut un sourire non dénué d'ironie.

— A moins que ça ne soit trop fatiguant pour toi ?

Elle se contenta de l'asperger d'un peu d'eau de mer avant de plonger de nouveau.

Le ronronnement du bateau à moteur qui les ramenait vers la rive aurait pu la bercer après plusieurs heures de plongée, mais Taylor ne se sentait pas le moins du monde fatiguée. Au contraire, une énergie incroyable l'habitait : celle du somptueux monde marin qu'elle venait d'explorer pour la première fois.

Assise sur la banquette aménagée à la poupe du bateau, elle

se rhabillait en essayant de traduire en mots l'émerveillement qu'elle ressentait.

— Ces coraux étaient vraiment de toute beauté… Et tu as vu ces bans de poissons tout ronds ? Je n'avais jamais vu de créatures aussi étonnantes !

— Ce sont des poissons-lunes, expliqua Dev, ravi de la voir si enthousiaste.

Sans savoir au juste pourquoi, il n'avait eu de cesse de la convaincre de découvrir la barrière de corail avec lui. Quelque chose l'avait poussé à insister en dépit des réticences qu'elle manifestait. Il avait éprouvé le fort désir de renouveler cette expérience magique en sa compagnie. Pour sa part, sa première plongée ici avait constitué une véritable révélation. Et visiblement, il en était de même pour elle. Il en fut heureux à un point qui l'étonna.

— Tu comprends maintenant pourquoi je tenais absolument à ce que tu vois ça ?

— Merci, Dev, dit-elle d'une voix câline en se lovant contre lui sur la banquette et en déposant un léger baiser sur ses lèvres. Merci de m'avoir fait découvrir ça… Je veux recommencer au plus vite. Mais, cette fois, avec une bouteille d'oxygène pour plonger plus loin et plus longtemps. Crois-tu que tu pourrais m'apprendre ?

— Tu pourrais suivre un cours demain matin et replonger demain après-midi, si tu veux.

— Oui.

— Oui à quoi ?

Elle passa un bras autour de son épaule et l'embrassa de nouveau.

— Oui à tout.

Le capitaine du bateau se présenta devant eux, une assiette de morceaux d'ananas à la main. Taylor, assoiffée, en prit un et mordit dedans à pleines dents.

Dev se renversa contre le dossier de la banquette, l'observant savourer la nourriture comme il l'avait fait la veille au restaurant.

— Prends-en un morceau, proposa-t-elle en lui tendant l'assiette. C'est bon pour ce que tu as…

— C'est *toi* qui est bonne pour ce que j'ai, chuchota-t-il d'une voix rauque avant de lui rendre son baiser.

Puis il dégusta à son tour un morceau du fruit sucré, dont la saveur fraîche chassa le goût d'eau salée qu'il avait encore dans la bouche, de la même manière que la présence délicieuse de Taylor à ses côtés chassait le souvenir de son ex-fiancée, égoïste et capricieuse…

— Au fait, reprit-il d'un ton goguenard, je crois me souvenir que nous avions un accord sur ce qui se passerait si cette petite excursion ne te plaisait pas, mais que nous n'avions pas parlé de ce que je gagnerais si elle t'enchantait vraiment.

— Oh… J'ignorais que tu attendais une quelconque commission pour tes services, répliqua-t-elle avec amusement.

— Toi plus que tout autre devrait savoir qu'aucun service rendu à la clientèle n'est vraiment gratuit…

— Et moi qui croyais que tout était inclus dans le prix du voyage, soupira-t-elle, les yeux rieurs. A quel genre de commission pensais-tu ?

Il fit mine de réfléchir une minute, avant de déclarer finalement :

— Surprends-moi.

Au moment où le bateau accosta au ponton de la plage, les nuages noirs qui se massaient dans le ciel depuis un bon moment éclatèrent en un véritable orage tropical. Ils n'avaient même pas atteint le sable qu'ils étaient déjà trempés de la tête aux pieds.

— Tant pis pour la séance de bronzage de l'après-midi, constata Taylor en courant se réfugier sous l'auvent du club de plongée. Que veux-tu faire ?

Dev leva les yeux vers le ciel d'un air pensif.

— En effet, cela me paraît compromis pour l'instant… Tous les autres clients doivent être en train de déjeuner à cette heure-ci. Est-ce que tu as faim ?

— Pas vraiment.

— Alors je te propose de regagner l'une de nos chambres, lança-t-il en la couvant d'un regard brûlant. Je suis sûr que nous trouverons bien une occupation pour la journée…

Taylor se colla contre lui, peau humide contre peau humide.

— Moi aussi, j'en suis sûre. Allons-y.

Sur ces mots, elle s'élança sous l'averse sans l'attendre. Elle n'eut pas fait trois pas qu'elle sentit le bras musclé de Dev la retenir et l'enlacer avec une autorité délicieusement troublante. Elle n'eut pas le temps — ni réellement l'envie — de protester quand il écrasa sa bouche sur la sienne, avec une fougue presque animale. Tant pis pour la pluie torrentielle qui s'abattait sur eux en cet instant… Taylor s'abandonna à ciel ouvert à la passion charnelle dévorante que Dev lui inspirait. Leurs langues entamèrent une danse à la sensualité sauvage, leurs corps se pressèrent l'un contre l'autre avec violence et les mains de Dev sur sa peau mouillée lui firent tourner la tête.

Soudain, un éclair bleuté déchira le ciel, chargeant toute l'atmosphère autour d'eux d'électricité statique. Comme si elle ne se sentait pas assez électrisée dans les bras de cet homme !

Dev se dégagea de leur étreinte et lui prit la main.

— Allons nous mettre à l'abri avant de finir carbonisés, suggéra-t-il.

— Bonne idée.

Ils coururent jusqu'à sa chambre à elle, la plus proche de la plage. A l'intérieur, une pénombre fraîche les accueillit. Taylor se dirigea vers la porte-fenêtre pour ouvrir les rideaux qu'elle avait laissé fermés et sortit sur la petite terrasse couverte qui prolongeait son bungalow. Quelque chose dans ces soudaines tempêtes tropicales la troublait au plus profond d'elle-même, lui donnant presque la chair de poule, comme en souvenir de l'époque préhistorique où l'orage était synonyme de danger. La pluie tombait sans discontinuer, à grosses gouttes, et résonnait sur le toit de palme à la manière d'une musique aux rythmes primitifs. La vue depuis cette terrasse l'enchantait depuis le premier jour : donnant sur un épais écran de verdure qui la protégeait des regards, elle ne s'en ouvrait pas moins sur un panorama magnifique qui s'étendait jusqu'à la mer.

L'eau dont ses vêtements étaient gorgés ruisselait encore sur ses jambes, et elle commença machinalement à déboutonner son short tout en contemplant le spectacle des éléments déchaînés. Au moment où elle retirait son caraco, la foudre frappa de nouveau, non loin de là. Un souffle de vent tiède caressa sa peau nue, la faisant frissonner d'excitation.

Au moment où elle portait la main à l'attache de son soutien-gorge, elle entendit un bruit de pas juste derrière elle.

— Je vois que tu as commencé à te mettre à l'aise, constata la voix chaude de Dev qui apparut soudain à ses côtés.

Elle se tourna vers lui en souriant, et fut de nouveau frappée par sa beauté ravageuse. Jamais, dans sa vie, elle n'avait eu une aventure avec un homme aussi séduisant… Son corps massif, musclé et élancé à la fois, dégageait une virilité à la puissance tranquille qui la troublait au plus haut point. D'un haussement d'épaules, elle fit glisser les bretelles de son Bikini et le fixa droit dans les yeux.

— En effet. Mais je ne serais pas contre un peu d'aide…

— Je suis ton homme.

— Moi aussi, je vais t'aider un peu, poursuivit-elle en sortant le bas de son T-shirt trempé de son short en jean.

— Avec plaisir.

Sans pouvoir se retenir, elle posa les mains sur son large torse, caressa la peau humide, agaça les mamelons virils qui se mirent à durcir aussitôt. Le souffle de Dev s'accéléra. Soudain envahie par un désir impérieux de le voir nu, elle lui ôta complètement son T-shirt et défit en hâte la fermeture Eclair de son short. Plus rien ne comptait en cet instant que son impatience de le toucher, de le goûter, de le sentir en elle.

A son tour, Dev finit de la déshabiller et ils se retrouvèrent totalement nus, face à face, à se dévorer mutuellement du regard dans l'air chaud et orageux. Les paumes de Dev parcoururent d'abord son cou, puis sa poitrine offerte, et quand il atteignit son ventre, Taylor sentit ses jambes se mettre à trembler sous l'effet du désir. Instinctivement, elle se laissa aller dans le hamac en macramé qui pendait du plafond surmontant la terrasse. Bercée par le mouvement régulier qui s'imprima aussitôt au hamac, elle sentit avec ivresse Dev se coller contre elle, le sexe dressé. Du bout des doigts, elle joua avec son pénis pendant quelques instants avant de le prendre d'un coup dans sa bouche. Dev poussa un long gémissement de bonheur.

Faisant aller et venir ses lèvres chaudes le long de son membre dur, elle savoura ce moment intime qui leur procurait tant de plaisir à tous deux. Puis, après en avoir agacé longuement l'extrémité avec le bout de la langue, elle se dégagea doucement et leva les yeux vers lui. Les traits chavirés par le plaisir, Dev lui lança un regard d'une sensualité totale.

— Je crois que tu m'as demandé une surprise, tout à l'heure, murmura-t-elle. Alors tu pourrais peut-être attraper un de ses coussins sur le hamac et t'agenouiller dessus…

Le vert émeraude des yeux de Dev sembla tourner au noir tant ses prunelles étaient dilatées. Il s'exécuta aussitôt, se mettant à genoux juste devant elle après avoir posé un coussin sur le sol. Taylor, toujours assise au bord du hamac, posta ses pieds sur ses épaules, de chaque côté de sa tête. Elle s'apprêtait à réaliser la petite surprise qu'elle lui réservait quand Dev, sans tenir compte de ce qu'elle allait faire, se pencha vers son bas-ventre pour enfouir son visage entre ses cuisses.

— Non, attends, parvint-elle à articuler dans l'excitation qui la submergeait. Je voulais...

Mais il était déjà trop tard. Son corps, avide du plaisir que Dev savait lui donner, s'abandonna à la caresse experte de sa langue. Haletante, elle se cambra pour mieux s'offrir à ses attouchements. Toute pensée rationnelle la quitta. Seule la vague de volupté qui montait en elle, inouïe, existait désormais dans sa conscience...

Juste avant qu'elle n'atteigne l'orgasme, Dev s'interrompit et demanda d'une voix rauque et un peu moqueuse :

— Pardon, tu disais quelque chose ? Je n'entends pas bien là où je suis. Tu voulais que je m'arrête, c'est ça ?

— S'il te plaît... prends-moi, souffla-t-elle, vaincue.

— Cet orage est tellement bruyant... Je ne suis pas sûr d'avoir bien compris...

— Prends-moi tout de suite, je t'en prie, cria-t-elle sans plus de retenue.

Dev se mit aussitôt sur pied, noua fermement les jambes de Taylor derrière son dos et agrippa à deux mains les mailles épaisses du hamac. Puis, plaçant son sexe à l'entrée du fourreau de chair qui s'offrait, il s'enfonça en elle d'un violent coup de reins. Taylor ne put se retenir, de nouveau, de crier. Et quand il imprima un mouvement de va-et-vient au hamac pour mieux accompagner le rythme de sa pénétration, elle perdit complètement la tête. Lentement, puis de plus en plus vite, il plongea en elle, encore et encore. Son visage, tendu par l'effort qu'il accomplissait pour contrôler son plaisir, se pencha sur elle pour lui ravir un baiser passionné.

Submergée par des sensations ardentes, l'esprit et le corps en feu, Taylor porta une main à son sein droit, dont elle pressa la pointe entre ses doigts de toutes ses forces. Son autre main se nicha au creux de ses cuisses, pour une caresse sur son clitoris qui vint accentuer l'ouragan érotique qui se déchaînait en elle. Elle sentit monter l'orgasme, impérieux.

— Taylor, l'avertit Dev, je ne vais plus pouvoir tenir très longtemps.

Une jouissance fulgurante la parcourut des pieds à la tête, juste au moment où Dev se figeait au plus profond d'elle-même, frissonnant violemment en atteignant le paroxysme du plaisir.

Elle tomba dans ses bras, hors d'haleine, et le serra contre elle avec passion.

5.

— Je crois que nous avons trouvé le chemin du paradis, jubila Taylor en s'asseyant sur l'un des tabourets en plastique entourant le bar situé en plein milieu de la piscine.

Son regard embrassa avec satisfaction le cadre enchanteur du patio de l'hôtel, avec ses palmiers agités par le vent et sa vue donnant directement sur la mer.

Dev haussa un sourcil.

— Je ne suis pas sûr qu'il y ait des bars au paradis, tu sais.

Il s'assit à son tour et fit signe au serveur de leur apporter deux daïquiris.

Quel délice de sentir à la fois l'eau chaude de la piscine caresser ses cuisses et la douce morsure du soleil sur son visage, songea Taylor, chavirée de bien-être.

— Comment le sais-tu ? Pour moi, le paradis est un endroit au climat de rêve et où les soucis n'existent pas. Et c'est exactement le cas ici…

Elle s'étira avec bonheur avant de boire une gorgée de son cocktail.

— Hmm… murmura-t-elle. Pince-moi, je rêve…

Dev sourit malicieusement.

— Je peux choisir où ?

— Si tu veux, mais choisis un endroit décent. Il y a plusieurs enfants autour de cette piscine !

Il se contenta de déposer un léger baiser sur son épaule.

Taylor le contempla longuement. Avec son bronzage plus cuivré de jour en jour et son collier de coquillages, il ressemblait vraiment à un homme des Caraïbes. Cette idée lui arracha un sourire.

— Qu'est-ce qui te fait sourire ?

— Toi, admit-elle. Avec ton look actuel, tu pourrais tout à fait passer pour un de ces types qui vivent ici toute l'année, qui habitent dans une hutte sur la plage et pêchent pour se nourrir…

— Voilà une bonne idée ! Et toi, tu pourrais rester ici avec moi et vendre des coquillages aux touristes pour contribuer aux frais du ménage…

Se prenant au jeu, elle secoua la tête.

— Non, je crois que je préférerais leur enseigner la plongée sous-marine.

— Ou alors être chanteuse officielle au karaoké de l'hôtel… Tu pourrais imiter les chorégraphies de Madonna tous les soirs. Qu'en dis-tu ?

— Oh, on voit bien que tu ne m'as jamais entendue chanter ! pouffa-t-elle. Et si…

Un cri suraigu les fit sursauter en même temps.

— Qu'est-ce que c'est que ça ? demanda Taylor, un peu inquiète.

De nouveau, un hurlement se fit entendre. Mais, avec soulagement, elle compris qu'il s'agissait plutôt d'une exclamation de joie…

Dev leva la tête et lui montra le ciel.

— Regarde.

Taylor obéit. Et crut rêver quand elle vit, juste au-dessus de leur tête, une jeune femme en train de pratiquer le parachute ascensionnel. Suivant du regard le filin accroché à son harnais, elle nota que le mouvement du parachute était provoqué… par un bateau filant à toute allure sur la mer !

Elle fronça les sourcils.

— Les gens sont vraiment cinglés…

— Pourquoi ? Parce qu'ils font ce genre de chose ? interrogea Dev, un peu surpris.

— Mais oui !

Il passa un bras autour de sa taille.

— Tu sais, le parachute ascensionnel est devenu une activité très populaire. On peut y prendre beaucoup de plaisir.

— Bien sûr, répliqua-t-elle d'une voix ironique. Tant qu'on ne finit pas empalé sur l'un des parasols de la plage…

— Ne t'inquiète pas, les mesures de sécurité sont draconiennes. Au fait… tu as déjà essayé ce genre de chose ?

Taylor grimaça.

— Non. Je crois que je me sentirais complètement idiote suspendue au-dessus de tout le monde et tirée en l'air par un bateau !

— Tu devrais essayer, vraiment, suggéra-t-il. Les sensations sont assez incroyables. Et puis, une femme audacieuse comme toi qui ne craint pas d'enlever son haut de maillot de bain sur la plage ne devrait pas avoir peur d'une petite aventure comme celle-là…

— Au moins, je n'ai pas besoin de payer pour enlever mon haut de maillot de bain !

Il eut un sourire amusé.

— Ça dépend de l'endroit où tu le fais. Les amendes sont parfois salées.

— Oh… Dois-je comprendre que tu as l'intention de me dénoncer la prochaine fois — voire de m'arrêter toi-même ?

— Malheureusement, ce ne sera pas possible : j'ai laissé mes menottes à la maison, plaisanta-t-il en lui coulant un regard plein de sous-entendus.

— Quel dommage… regretta-t-elle en se penchant pour l'embrasser.

— Sérieusement, reprit-il entre deux baisers, si tes seules raisons pour ne pas essayer sont le prix ou la peur du ridicule, ce serait vraiment dommage de te priver de le faire. Qui sait quand tu auras de nouveau l'occasion d'essayer ?

— La prochaine fois que je viendrai en vacances ici, rétorqua-t-elle en priant pour qu'il cesse d'argumenter.

Non, vraiment, elle n'avait aucune envie de se rompre le cou ! Bon, elle devait bien reconnaître qu'il avait eu raison d'insister pour la plongée sous-marine… mais là, c'était très différent !

— Si je me souviens bien, tu prends des vacances tous les cinq ans environ, non ?

— Oui, et je ne veux pas que celles-ci soient les dernières, décréta-t-elle fermement. Allez, viens, retournons à la plage.

Peut-être un changement de décor leur permettrait-il de changer également de sujet…

Malheureusement, elle constata très vite qu'il n'en était rien.

— Et même si le parachute ascensionnel te paraît à première vue idiot, qu'as-tu de mieux à faire dans les jours à venir ? demanda Dev au moment où ils foulèrent le sable chaud.

— Oh, j'ai bien quelques idées en tête, avança-t-elle en lui jetant une œillade brûlante.

— Serais-tu en train de me proposer des activités que la morale réprouve ?

— Qui, moi ? demanda-t-elle avec une innocence feinte.

— Finalement, je vais peut-être devoir vous conduire au poste, madame, lança-t-il en la prenant par le bras et en l'entraînant en direction de l'hôtel.

— Quelles sont les charges retenues contre moi, monsieur l'agent ?

— Je trouverai bien quelque chose…

— Je meurs d'impatience de le découvrir, lâcha-t-elle en trottinant à sa suite.

Adossée contre les oreillers du lit, le corps comblé et l'esprit joyeux, Taylor regardait Dev se rhabiller — ou plutôt enfiler simplement un caleçon de bain et un T-shirt.

— Je n'arrive pas à décider si je préfère pratiquer nos petits jeux dans ta chambre ou dans la mienne, lâcha-t-elle d'une voix encore altérée par le plaisir.

— Souviens-toi simplement que si tu veux faire de moi ton homme-objet en titre, tu devras travailler pour nous deux, plaisanta Dev en ramassant le Bikini turquoise qui avait atterri sur le téléviseur quand ils s'étaient dénudés en toute hâte, quelques heures auparavant.

— Ah oui, en animatrice de karaoké, c'est ça ? demanda-t-elle en s'étirant après s'être levée à son tour.

— Oui, même si j'aimerais que tu me fasses de temps en temps quelques représentations privées…

Taylor pouffa et enfila son maillot.

— Je te préviens, cela risque de te coûter assez cher… Mes talents artistiques sont hors de prix !

Dev la prit dans ses bras.

— Je pourrais peut-être te payer en nature ?

Taylor soupira de bien-être en sentant ses lèvres se poser sur les siennes. Chaque fois que Dev la touchait, elle se sentait fondre, littéralement… Comment expliquer un tel prodige ? Il suffisait d'un mot ou d'un geste de lui pour qu'elle s'embrase sur-le-champ. Depuis cinq jours, ils étaient inséparables, et avaient fait l'amour tant de fois qu'elle avait cessé de les compter. Mais il savait aussi la faire rire aux larmes, ou l'attendrir jusqu'au plus profond d'elle-même — par exemple quand elle le regardait dormir, et qu'elle le voyait si beau, si calme dans son sommeil…

En fait, si toute cette histoire n'avait pas été un amour de vacances, au cadre et à la durée nettement limités, elle aurait sans doute commencé à s'inquiéter de l'intensité de ce qu'elle éprouvait avec lui.

Au prix d'un petit effort — s'arracher des bras de Dev n'était jamais facile — elle se dégagea avant qu'il ne soit trop tard. Mieux valait prendre le chemin de la plage tout de suite, ou ils risquaient de se remettre au lit pour le restant de l'après-midi !

Elle se contorsionna pour attacher le fermoir de son haut de maillot de bain lorsqu'elle vit Dev composer le code du petit coffre installé dans chaque chambre afin que les clients puissent y entreposer leurs objets de valeur ou leur argent.

— Qu'est-ce que tu fais ? s'enquit-elle en remarquant la poignée de billets qu'il tenait à la main.

— J'ai besoin d'un peu de liquide, expliqua-t-il en refermant le coffre.

— Pourquoi ? Tout est compris dans le prix du séjour, non ?

— Non, pas tout à fait.

Perplexe devant son air cachottier, elle poursuivit son interrogatoire.

— Voyons voir… Tu veux acheter des souvenirs ?

— Non.

— Des journaux ?

— Non.

— Tu veux refaire de la plongée ?

— Non plus.

Il s'avança vers elle en mettant les billets dans sa poche, un sourire facétieux aux lèvres.

— Je t'emmène faire un tour de parachute ascensionnel, annonça-t-il avant de l'embrasser brièvement sur le bout du nez.

La boucle du harnais se referma sur elle-même dans un petit cliquetis métallique.

Taylor, debout sur le pont du petit bateau qui s'apprêtait à quitter la plage, sentit un mélange d'appréhension et d'excitation l'envahir. Seigneur, il fallait vraiment qu'elle ait confiance en Dev pour se lancer dans une aventure pareille ! Mais elle espérait surtout qu'elle pouvait avoir confiance dans la solidité du matériel de l'hôtel…

— Je te rappelle que c'est toi qui as eu cette idée, lança-t-elle à Dev, mi-figue mi-raisin. S'il m'arrive quelque chose, ma famille t'en tiendra pour responsable, tu sais…

— Je suis sûr que tu as une très bonne assurance voyage, la taquina-t-il en vérifiant l'attache de son harnais.

— Ne recommence pas avec cette histoire d'assurance, pria-t-elle en riant malgré la crainte qui ne la quittait pas.

Le bruit du moteur qu'on mettait en route ne fit qu'accentuer le nœud dans son estomac. Elle observa d'un œil inquiet l'épais câble d'acier qui était censé la relier au bateau — du moins, si tout se passait bien — pendant toute la durée de son « vol ». L'employé de l'hôtel cria en souriant :

— Vous êtes prête, mademoiselle ?

Ça, elle n'en savait rien ! Comment pouvait-on être sûr d'être prêt à se rompre la colonne vertébrale ? Ravalant son angoisse, elle leva le pouce en guise de réponse.

A l'instant où le bateau commença à avancer, l'idée la traversa soudainement qu'elle commettait une grosse erreur... Mais elle n'eut pas le temps de réfléchir davantage. Une légère bouffée de vent s'engouffra aussitôt dans son parachute et ses pieds quittèrent le ponton du bateau. Un petit cri de surprise lui échappa, mais elle fut étonnée de ne pas se sentir terrifiée.

L'embarcation prit de la vitesse, et elle de la hauteur. Une euphorie inattendue s'empara de tout son être tandis qu'elle s'élevait doucement dans les airs, comme si une main invisible la suspendait au-dessus de la mer.

Tous les sens en éveil, elle regarda le bateau devenir de plus en plus petit sous ses pieds. Une incroyable sensation de liberté la submergea, et lui permit de se détendre complètement. Comme c'était merveilleux de pouvoir voler, de planer dans l'air tiède comme un oiseau marin... Respirant à pleins poumons, elle admira le panorama inédit qui l'entourait : les reflets scintillants du soleil à la surface de l'eau, le vert profond de la jungle tropicale bordant la plage, les toits multicolores des bungalows de l'hôtel... Et surtout, cet azur profond du ciel, dans lequel elle avait l'impression de flotter.

Non, vraiment, elle n'avait jamais rien vu ni ressenti de pareil. Pleine de gratitude pour celui qui lui avait permis de vivre une expérience aussi unique, elle chercha Dev des yeux. La tête renversée en arrière, il suivait avec attention sa trajectoire. Souriante, elle lui adressa un petit salut.

Taylor sentit sa joie redoubler quand elle le vit porter sa main à sa bouche puis souffler dessus pour lui envoyer un baiser.

— C'était vraiment l'une des expériences les plus incroyables de ma vie, expliqua Taylor tandis que Dev et elle nageaient côte à côte dans la mer chauffée par le soleil déclinant de cette fin d'après-midi.

— Tu vois ? La plongée sous-marine, le parachute ascensionnel… Tu devrais toujours m'écouter quand je te conseille de faire quelque chose !

Deux ans passés avec son ex-fiancée lui avaient malheureusement fait oublier qu'il était possible de vivre sans complications permanentes, sans plaintes et sans gémissements, et que goûter des plaisirs intenses pouvait se faire très simplement. Il ressentit soudain une profonde gratitude à l'égard de Taylor pour lui avoir rafraîchi la mémoire… Passer du temps à ses côtés était un véritable délice. Presque une révélation, qui lui rappelait tout à coup que le bonheur était à portée de main… si l'on tombait sur la bonne personne.

Elle l'aspergea avec espièglerie.

— Oh, ça va, monsieur-je-sais-tout ! lança-t-elle en riant.

Il plongea sous la surface pour échapper aux gerbes d'eau dont elle l'arrosait et réapparut tout près d'elle pour la prendre dans ses bras.

— C'est vraiment une joie de te voir prendre du plaisir, tu sais, murmura-t-il.

— Cela faisait une éternité que je ne m'étais pas autant amusée, confessa-t-elle en le regardant droit dans les yeux.

Dev crut voir une ombre passer dans son regard.

— Cette semaine, j'ai eu l'impression de renouer avec une part de moi-même que j'avais complètement perdue de vue ces dernières années.

Dev fronça les sourcils, se demandant à quoi elle pouvait bien faire allusion. Avait-elle connu une période particulièrement difficile ? Au moment même où il se posait cette question, il la chassa de son esprit avec détermination. Il n'avait pas à se soucier des problèmes de Taylor. Cela ne le regardait pas.

— Et tout cela, c'est grâce à toi, conclut Taylor.

— Pas seulement… C'est surtout grâce au Mexique.

— Disons que le soleil et la mer y sont aussi pour beaucoup, rectifia-t-elle en passant ses bras autour de son cou. Mais, que je sache, ce n'est pas le Mexique qui m'a poussée à faire du parachute ascensionnel ! D'ailleurs, je ne l'aurai pas écouté.

Il éclata d'un rire joyeux et l'embrassa avec gourmandise.

6.

— Debout, ma belle.

Taylor ouvrit péniblement les yeux pour découvrir le visage de Dev à quelques centimètres du sien. Mais, à bien y regarder, contrairement à elle qui était entièrement nue, il était déjà habillé de la tête aux pieds…

— Oublie ça, grommela-t-elle en se pelotonnant contre son oreiller. Je suis en vacances.

— Allez, insista-t-il en l'embrassant dans le cou. C'est notre dernier jour ici. On ne va quand même pas le gâcher…

— Reste au lit avec moi et tu vas voir si la journée va être gâchée, ronronna-t-elle en l'enlaçant.

— Il s'agit en effet d'une proposition alléchante, reconnut-il en l'embrassant de plus belle.

Taylor, parfaitement réveillée par le désir qu'elle sentait déjà monter en elle, s'émerveilla une nouvelle fois du pouvoir incroyable que cet homme avait sur ses sens. Elle s'abandonna à son étreinte… pour réaliser tout à coup qu'il s'arrachait d'elle, en emportant avec lui le drap et l'oreiller !

En le voyant se relever d'un bond avec son butin, elle grogna :

— Espèce de sauvage !

— Viens donc les chercher, proposa-t-il d'une voix railleuse.

— Tu es un homme diabolique, Dev Carson, maugréa-t-elle en se levant à contrecœur.

— Non, je me préoccupe de tes intérêts, voilà tout.

Elle se dirigea lentement vers la salle de bains.

— Mon intérêt immédiat est de dormir, corrigea-t-elle en bâillant.

— Tu ne sais pas ce qui est bon pour toi. Allez, file sous la douche, ordonna-t-il en lui donnant une petite tape sur les fesses.

— Oh ! C'est bien ce que je disais : tu n'es qu'un sauvage, répéta-t-elle en enjambant le rebord de la baignoire.

Par bonheur, après une bonne douche et un solide petit déjeuner pris sur la terrasse de l'hôtel, elle se sentit revivre. De toute façon, dans un endroit aussi paradisiaque, il était difficile de ne pas se sentir en pleine forme ! songea-t-elle en admirant une nouvelle fois le somptueux panorama de la plage vers laquelle ils se dirigeaient.

— Qu'allons-nous faire aujourd'hui ? demanda-t-elle avec une pointe d'inquiétude quand elle remarqua que Dev l'entraînait non pas vers leur emplacement habituel, mais vers l'extrémité de la plage, là où les employés de l'hôtel entreposait les équipements sportifs.

— Ne t'inquiète pas, dit-il d'un ton ironique. Rien de trop fatiguant. Avec un peu de chance, tu pourras même faire une petite sieste dans l'après-midi…

— *Hola*, Dev, s'écria un tout jeune homme en les voyant approcher.

— *Hola*, Miguel, salua Dev à son tour.

Taylor jeta un œil suspicieux sur les kayaks et les jet-skis qui les entouraient. Dev avait pourtant bien promis qu'il ne s'agissait pas de quelque chose de trop fatiguant…

— *Como estas, señor* ? demanda Miguel en échangeant une vigoureuse poignée de main avec Dev.

— *Bien. Y tu* ?

— *Bien, tambien.*

Dev se tourna vers elle.

— Taylor, je te présente mon ami Miguel. C'est lui qui est en charge des bateaux et des planches à voile. Et personne ne connaît mieux les alentours de l'île que lui. Miguel, voici Taylor.

A leur tour, ils échangèrent une poignée de main.

— Alors, Miguel, tout est prêt ?

— Oui, *señor.* La *señorita* va naviguer avec vous, aujourd'hui ? Taylor allait intervenir pour demander de quel genre de navigation il s'agissait, mais Dev ne lui en laissa pas le temps.

— Bien sûr qu'elle vient avec moi. Je ne vais quand même pas la laisser ici avec toi, expliqua-t-il en faisant un clin d'œil à Miguel. Un sourire de ta part et, pff, je n'existerais plus !

Le jeune homme rougit du compliment.

— Que dit la météo ?

— Il va faire beau temps, *señor.* Mais il y aura peut-être une petite averse en fin de journée…

Tout en parlant, Miguel les conduisit à travers les planches et les piles de gilets de sauvetage jusqu'à un catamaran blanc et bleu, un peu plus grand que les Hobie Cat qu'on louait habituellement aux clients de l'hôtel, et qu'elle voyait parfois croiser dans la baie.

Quand elle vit disparaître son sac, sa serviette-éponge et son livre dans l'un des compartiments étanches du petit bateau, elle comprit que cette embarcation serait la leur. Dev et Miguel la poussèrent sur le sable jusqu'à la rive et, une fois que ce fut fait, Dev grimpa à bord.

— Allons, moussaillon, il faut embarquer, lança-t-il à son intention en tapotant la toile élastique tendue entre les deux flotteurs du bateau.

Elle s'exécuta tout en adressant un petit signe de la main à Miguel qui leur criait :

— *Hasta la vista, amigos !* Bonne promenade !

Fascinée par l'adresse de ses mouvements, elle observa Dev qui manœuvrait pour leur faire quitter la rive. Le catamaran semblait lui obéir au doigt et à l'œil, et il ne leur fallut que quelques minutes pour se retrouver au large. Un vent délicieux soufflait dans les voiles, caressant au passage son visage. La côte se découpait en petites criques de sable blanc entrecoupées de foisonnements végétaux où éclosaient des plants d'aloès, d'hibiscus et de bougainvilliers. Les flots bleus qui les entouraient reflétaient la lumière du soleil avec une telle intensité qu'elle dut finalement plisser les yeux pour jouir du magnifique panorama qui s'étendait devant elle. Un véliplanchiste, lancé à vive allure sur les vagues, les salua avec enthousiasme quand ils passèrent près de lui. Décidément, une semaine ne suffisait pas à explorer tous les trésors et les plaisirs que Cozumel avait à offrir, songea-t-elle, le cœur serré à l'idée que ses vacances touchaient à leur fin.

— Bon, je donne ma langue au chat. Je n'en peux plus de ne pas savoir, avoua-t-elle en se tournant finalement vers Dev. Où allons-nous ?

Il lui sourit avec satisfaction.

— Je pensais te montrer l'autre côté de l'île. Il y a de magnifiques ruines maya qui te plairont sûrement. Et puis, pour notre dernier jour ici, c'est plutôt agréable de faire une petite excursion, non ?

Taylor lui rendit son sourire.

— C'est une merveilleuse idée.

De fait, cela faisait un bien fou de sortir quelques heures du petit monde clos de l'hôtel, aussi paradisiaque soit-il. La fraîcheur du vent marin contrastait délicieusement avec la chaleur moite qui régnait d'habitude sur la plage.

— Nous allons d'abord descendre jusqu'à la pointe de l'île, poursuivit Dev en manœuvrant le bateau qui tendait à se rapprocher un peu trop de la côte, puis nous ferons halte dans une crique magnifique que Miguel m'a montrée la semaine dernière. Si tu veux, tu pourras y faire la sieste à laquelle tu tiens tant…

— Oh, je me sens en pleine forme, maintenant, le rassura-t-elle. L'air de la mer réveillerait un mort ! C'est vraiment fantastique… Tu sais, c'est la première fois de ma vie que je navigue.

Elle l'observa faire une série de nœuds compliqués, avant de modifier la position de la voile avant.

— Et toi, tu navigues depuis longtemps ?

— Oh, Miguel m'a donné une leçon ou deux depuis mon arrivée, dit-il d'un air blasé.

Voyant l'expression décontenancée que Taylor ne put s'empêcher d'afficher, il éclata de rire.

— Ne t'inquiète pas, je plaisante ! Je navigue depuis des années… J'ai vécu à Newport pendant un bon bout de temps, et un ami m'a enseigné tous les secrets de la voile. C'est devenu une vraie passion.

Il lui tourna soudain le dos, comme pour examiner l'horizon.

— En arrivant à Baltimore, j'ai même acheté un petit bateau. Si tu veux, je t'emmènerai faire un tour sur la baie quand nous serons de retour au pays.

Taylor faillit acquiescer machinalement, avant de réaliser ce qu'il venait de lui proposer. Sans qu'elle sache pourquoi au juste, son cœur fit un bond dans sa poitrine. Pourtant, il n'y avait pas de quoi… Leur aventure prendrait fin le lendemain, point final, et il n'y avait rien à regretter. C'est vrai, ils avaient passé une semaine délicieuse ensemble, mais la dernière chose dont elle avait besoin était de s'engager avec un homme qui venait de rompre ses fiançailles — si attirant soit-il.

— Je te rappelle que nous avons conclu un accord, reprit-elle en se forçant à parler le plus naturellement possible. Nous ne nous reverrons pas en rentrant à Baltimore.

Elle vit une ombre hésitante passer sur le visage de Dev, mais, comme il portait des lunettes de soleil, elle ne put apercevoir l'expression de ses yeux.

Il ne répondit rien, et elle se demanda un instant s'il l'avait entendue.

— Bon, il faut se remettre au travail, moussaillon. Viens de ce côté du bateau, il faut que je m'occupe de la manœuvre à bâbord.

Ils changèrent de place en silence, et Taylor s'absorba dans la contemplation du paysage pour chasser de son esprit la proposition que Dev venait de lui faire. En se dirigeant vers le sud de l'île, la côte de Cozumel changea radicalement d'aspect : plus d'habitations ou de bungalows, mais une véritable jungle tropicale, où se mêlaient cocotiers, mangrove et fougères géantes. Se trouver ici, dans cette nature sauvage et préservée, lui procura un frisson de plaisir. Pour un peu, elle pourrait s'imaginer que Dev et elle étaient deux naufragés sur un canot de sauvetage, et qu'ils accosteraient bientôt sur une île déserte…

Un pélican plongea tout près du bateau, à une vitesse stupéfiante, et elle s'émerveilla de son adresse et de sa grâce. Oui, vraiment, cette excursion dégageait une magie rare.

Poussée par un élan de reconnaissance, elle s'approcha de Dev pour l'embrasser.

— Que me vaut l'honneur ? demanda-t-il, visiblement heureux.

— Merci pour tout ça, Dev, expliqua-t-elle en balayant l'horizon de la main. C'est vraiment un moment merveilleux.

— J'espérais que cela te plairait, se réjouit-il en lui caressant le dos.

— Qu'est-ce que c'est que ça ? s'enquit-elle en montrant une sorte de tour qui s'élevait à la pointe de l'île, dont ils approchaient.

— Un phare. Il a été construit au début du siècle, et aujourd'hui c'est devenu un musée.

— Tu es venu ici avec Raoul ?

Il acquiesça de la tête.

— Il m'a fait faire le tour de l'île au début de mon séjour ici. Il m'a aussi indiqué les meilleurs lieux de promenade et les plus beaux sites de plongée.

— En somme, vous avez pas mal sympathisé, non ?

— On peut dire ça. C'est quelqu'un de bien. Il a toujours vécu sur l'île, sauf quand il est allé à l'école sur le continent. Du coup, il la connaît dans ses moindres recoins. Pendant nos excursions, il m'a même montré les arbres qu'il a vu grandir depuis sa plus tendre enfance…

Taylor crut déceler une trace d'envie dans le ton de sa voix.

— On dirait que tu aurais aimé mener ce genre de vie, je me trompe ?

— Je pense que vivre en harmonie avec son lieu d'origine vous rend meilleur, dit-il d'un air pensif. Les racines d'un homme lui donne de la force. Moi, j'ai toujours bourlingué un peu partout…

— Mais pourquoi ne pas te fixer quelque part, alors ?

Il se contenta de hausser les épaules.

— Jusqu'ici, le moment ne me semblait pas encore venu. Mais les choses ont changé dernièrement. Et quand ma fiancée m'a annoncé qu'elle voulait que nous nous installions en Floride, l'idée ne m'a pas du tout enthousiasmé.

— Evidemment, ce n'est guère pratique de déménager à l'autre bout du pays… Surtout sur le plan professionnel.

Dev fit une petite grimace.

— Melissa n'avait pas beaucoup de sens pratique, de toute façon… C'est l'une des nombreuses choses qui nous différenciaient, d'ailleurs. Mais je ne vais pas t'ennuyer avec toute cette histoire.

Malgré un élan de curiosité, Taylor se retint d'en demander davantage. Dev avait sans doute raison : puisqu'ils n'avaient aucun avenir, à quoi bon parler du passé ?

Admirant une dernière fois le phare qui s'éloignait déjà tandis qu'ils contournaient la pointe de l'île, elle nota que le vent fraîchissait et que des nuages gris s'amassaient à l'horizon. Rien de bien méchant pour l'instant, se rassura-t-elle : Miguel avait bien annoncé un peu de pluie pour la fin de journée, mais aucune tempête n'était prévue, Dieu merci ! Sur une si frêle embarcation, elle ne se serait pas sentie très rassurée…

Ils naviguèrent encore une demi-heure sans échanger une parole, Dev occupé à manœuvrer le bateau et Taylor à admirer le paysage de plus en plus sauvage. Elle nota même des falaises assez abruptes, alors qu'à part quelques cascades naturelles l'autre côté de l'île était dépourvu de paysages rocheux. Elle remarqua également que la mer y était nettement moins calme, puisque le vent soufflait plus fort. Le petit catamaran tanguait maintenant au rythme de vagues qui n'avaient rien à voir avec les tranquilles ondulations de la baie sur laquelle donnait leur hôtel.

— C'est toujours aussi agité, par ici ? demanda-t-elle avec une pointe d'inquiétude.

Dev secoua la tête.

— Cette côte est toujours moins hospitalière que l'autre, même si les paysages y sont grandioses. Mais toutes les fois où je suis venu ici avec Raoul, le temps était plus clément. J'ai l'impression qu'un petit grain se prépare.

Elle leva les yeux et comprit qu'il avait raison. En très peu de temps, le ciel s'était couvert, et de gros nuages sombres masquaient désormais le soleil. Presque chaque jour, une averse tropicale aussi soudaine que violente se produisait à Cozumel, ce qui d'ordinaire n'avait rien de gênant. Mais, aujourd'hui, elle ne pouvait pas courir se réfugier dans sa chambre ou au restaurant de l'hôtel. Elle se trouvait en pleine mer, sur une petite embarcation de rien du tout. Un frisson glacial lui parcourut l'échine. Elle n'avait pas peur à proprement parler, mais…

Un petit cri lui échappa quand la foudre s'abattit subitement sur la côte qui leur faisait face. Une véritable tempête semblait sur le point de se déchaîner.

— Dev ! cria-t-elle dans le vent qui lui fouettait le visage.

— Oui, je sais. Nous allons accoster et attendre que ça se calme. Raoul m'a montré une petite crique tout près d'ici la dernière fois que nous sommes sortis en mer.

Par bonheur, le vent qui s'était levé s'engouffrait à toute force dans les voiles et leur permettait d'avancer à vive allure. Mais le temps qu'ils atteignent enfin la crique dont Dev avait parlé, l'orage avait déjà éclaté. La pluie se mit à tomber, tambourinant sur le sable au moment où ils posèrent le pied à terre. Taylor sentit d'énormes gouttes d'eau lui couler dans les cheveux, sur le visage, trempant ses vêtements en moins d'une minute. Décidément, le climat tropical ne connaissait pas la demi-mesure, songea-t-elle en aidant prestement Dev à tirer le bateau sur la plage. Quand le soleil brillait, il le faisait avec ardeur ; mais quand les éléments venaient perturber la météo, ils y mettaient la même intensité rageuse…

Dans un fracas assourdissant, un éclair déchira le ciel et vint s'abattre tout près d'eux, là où la minuscule plage sur laquelle ils venaient de s'échouer laissait place à la forêt. Terrifiée, Taylor sursauta violemment. Aussitôt, Dev ordonna :

— Couche-toi !

Sans réfléchir, elle se jeta sur le sable, le cœur battant. Dev lui passa un bras autour des épaules dans un geste de protection réflexe. Elle se serra contre lui, la peau soudain sensible à l'extrême : elle avait la chair de poule, sans doute à cause de l'électricité dont l'air était saturé…

Dans un grand roulement de tonnerre, la foudre tomba de nouveau. Mais, cette fois-ci, à quelques mètres à peine. Taylor crut qu'elle allait se mettre à claquer des dents. Un sentiment de danger extrême, presque animal, la submergea. Elle avait beau savoir que le plus sûr était de rester couché en attendant que la tempête s'apaise, son instinct lui dictait une seule conduite : la fuite. Luttant pour ne pas céder entièrement à la panique, elle s'efforça de garder la tête froide.

Tout en serrant Taylor contre lui, Dev se traita intérieurement de tous les noms. Comment avait-il pu se montrer aussi imprudent ? S'il n'avait pas été aussi absorbé par le bonheur qu'il ressentait à naviguer avec Taylor, il aurait vu l'orage arriver à temps. Et ils auraient pu aller se mettre à l'abri. Au lieu de quoi ils étaient désormais condamnés à attendre une accalmie… en espérant que la foudre ne s'abattrait pas sur eux entre-temps !

Mais, pour le moment, l'accalmie en question semblait encore loin, fut-il forcé de constater avec inquiétude. Le vent rugissait dans le feuillage des arbres de la forêt toute proche et la mer, déchaînée, avait pris une couleur presque noire qu'il n'avait jamais vue depuis son arrivée à Cozumel. Son impuissance à les sortir de ce mauvais pas le rendait furieux contre lui-même. Et quand la foudre tomba de nouveau, si près d'eux qu'il craignit un instant qu'elle ne les ait vraiment touchés, il serra les poings. En réalité, l'éclair venait de tomber sur un cocotier, dont la moitié des feuilles tomba aussitôt sur le sable dans un bruit sourd.

Soudain, il sentit sa fureur se muer en un sentiment bien différent. Son corps ne lui laissa guère longtemps le bénéfice du doute : cette tension qui l'habitait, c'était, comme chaque fois qu'il tenait Taylor dans ses bras, un violent désir. Un désir qui emportait tout sur son passage, y compris le danger qui les menaçait en cet instant. A moins que ce sentiment de danger ne participe justement à l'urgence qui montait en lui, comme une sorte de réflexe ancestral ?

Seigneur, il avait vraiment perdu la tête ! Taylor devait être terrorisée — à juste titre — et voilà qu'il ne pensait plus qu'à lui faire l'amour au plus vite !

Il plongea son regard dans le sien, et ce qu'il y lut ne fit qu'accentuer son trouble. Cette lueur qui brillait dans les prunelles sombres qui le fixaient n'était pas, étonnamment, le reflet de la crainte… mais bel et bien celui de l'excitation. Avant même qu'il n'ait le temps de s'interroger sur l'incroyable phénomène qui les frappait tous deux, Taylor, qui avait dû comprendre ce qu'il ressentait — et sans doute sentir la pression de son érection contre sa cuisse — posa ses lèvres sur les siennes avec passion.

Subitement, il ne perçut plus rien autour de lui. Le bruit de la pluie parvenait toujours à ses oreilles, mais il ne la sentait plus s'abattre en torrents d'eau tiède sur sa peau. Ni l'orage, ni la menace de la foudre ne pouvaient le distraire de la femme qui l'embrassait comme si sa vie en dépendait. Plus rien d'autre ne comptait que sa bouche sous la sienne, que son corps chaud et offert, que ses seins qu'il caressa à travers l'étoffe trempée du débardeur qu'elle portait. Et quand elle lui mordilla les lèvres dans un petit jeu érotique dont elle avait le secret, il crut devenir fou. Il fallait qu'il la prenne. Sur-le-champ. Et le monde pouvait bien s'écrouler.

Taylor lui arracha son T-shirt avec une fougue aussi impétueuse que la sienne, avant d'ôter la totalité de ses vêtements. Bientôt, ils furent entièrement nus l'un et l'autre. La violence de l'orage ne faisait que renforcer un incroyable sentiment d'urgence primitive, de besoin vital, d'appétit charnel impossible à réprimer. Dans une situation aussi électrique que celle-ci, tout préliminaire était superflu, comprit-il en lisant l'appel du regard flamboyant de Taylor.

Lorsqu'il la pénétra d'un brusque coup de reins, elle planta ses ongles dans son dos et gémit longuement. Croisant les jambes autour de sa taille, elle s'arc-bouta sous lui pour mieux l'accueillir. Ses hanches ondulèrent au rythme de ses va-et-vient de plus en plus rapides. Chaque fois, il s'enfonçait en elle le plus profondément possible, jusqu'à ce que les gémissements rauques de Taylor se changent en cris de plaisir. Alors, avec une intensité qu'il n'avait jamais expérimentée jusque-là, il atteignit le sommet de l'extase et répandit sa semence brûlante en elle. Dans ce tourbillon de sensations inouïes, il ne s'était jamais senti aussi vivant.

Encore bouleversée par leur étreinte, Taylor reposait toujours à même le sable, la tête posée sur le ventre nu de Dev. Il lui caressa la joue du bout des doigts.

— J'ai emporté quelques provisions pour le déjeuner, tu sais. Elles sont dans le bateau. Au sec, bien sûr, précisa-t-il dans un sourire.

— Quand j'arriverai à bouger, pourquoi pas, répliqua-t-elle en observant le ciel redevenu aussi bleu que si aucun orage ne venait d'avoir lieu. Décidément, les tropiques l'étonneraient toujours… Les éléments étaient capables de se déchaîner subitement, et de se calmer en une heure à peine pour laisser place à un temps radieux.

— Le bateau n'a pas souffert ? demanda-t-elle avec une pointe d'inquiétude.

Dev tourna la tête du côté du rivage.

— Absolument pas, Dieu merci. Nous avons eu de la chance.

Taylor pouffa légèrement.

— C'est bien mon avis.

— Je préfère nettement partir en excursion avec toi qu'avec Raoul tu sais…

— J'espère bien ! s'exclama-t-elle en lui donnant une petite tape sur le ventre. Au fait, tu penses que le trajet du retour sera plus calme ?

— Je ne vois pas pourquoi il ne le serait pas, la rassura-t-il. La tempête est passée. Si tu veux, nous pouvons continuer à faire le tour de l'île en bateau, ou bien rester ici un peu plus longtemps. Du moment que nous nous mettons en route avant la tombée de la nuit…

— Je me sens parfaitement bien ici.

En prononçant ces mots, elle réalisa à quel point, en effet, ce moment la comblait. Lovée contre la poitrine de Dev, bercée par les battements réguliers de son cœur, la peau délicieusement chauffée par les rayons du soleil qui avaient retrouvé toute leur ardeur, elle nageait dans le bonheur. Avec un pincement au cœur, elle songea que, dès le lendemain, tout serait terminé. Pas seulement ses vacances, mais aussi ces instants merveilleux qu'elle avait partagés avec Dev, peuplés de rire, d'aventure et de passion. Et cette perspective la contrariait plus qu'elle ne l'aurait cru.

Une vague d'angoisse la submergea soudain. Etait-il possible qu'elle se soit voilée la face ? Ce qu'elle ressentait depuis plusieurs jours relevait-il d'autre chose que d'une simple liaison sans lendemain — quelque chose de bien plus profond… et aussi de bien plus dangereux ? D'habitude, les amours de vacances ne provoquaient pas de sensations — ni de sentiments — si intenses…

« Taylor, il va falloir te reprendre, et vite », se morigéna-t-elle intérieurement. Inutile de nier qu'elle se sentait plus proche de Dev que d'aucun homme qu'elle avait rencontré ces dernières années. Mais il ne fallait pas s'accrocher à des illusions : après tout, elle ne le connaissait que depuis une semaine. C'est-à-dire presque pas. Plus que quiconque, elle était bien placée pour savoir que connaître vraiment quelqu'un prenait des années — quand on parvenait à le connaître, ce qui était loin d'être toujours le cas, même au sein du mariage.

— Tout va bien ? demanda Dev, un peu étonné. Tu viens de sursauter brusquement.

— Pardon, s'empressa-t-elle de se justifier. Je crois que j'ai failli m'endormir.

Mais, en dépit de son mensonge et de ses sages réflexions, elle ne parvint pas à chasser le malaise qui l'habitait. Oui, elle avait eu peur de la tempête et de la foudre. Mais, bizarrement, cette peur s'accompagnait d'une confiance absolue en la vie, et même d'une sorte d'excitation. Et voilà qu'une fois le danger passé, elle se trouvait confronté à quelque chose qui la terrifiait vraiment.

Prenant une profonde inspiration, elle s'exhorta au calme. Dans vingt-quatre heures exactement, tout serait terminé. Elle retrouverait sa ville, son travail, l'existence qu'elle s'était construite — et qu'elle aimait. Une relation à long terme ? Aucun d'entre eux n'en voulait. Dès le départ, il était clair qu'ils ne cherchaient qu'une relation physique épanouissante. Et, de ce côté-là, tout s'était passé à merveille. Trop, peut-être. Voilà sans doute pourquoi la confusion régnait dans son esprit. C'était le piège classique : confondre le plaisir avec les sentiments. Bon sang, elle n'était pourtant plus une adolescente ! Sept jours — même aussi incroyables — ne suffisaient pas à bâtir quoi que ce soit.

Sa liaison avec Dev n'était qu'un amour de vacances, qui prendrait fin avec celles-ci. Point final.

7.

Vraiment, c'était complètement ridicule de se sentir aussi déprimé, songea Dev en regardant s'éloigner la navette orange qui faisait la liaison entre l'hôtel et l'aéroport — la navette qui emmenait Taylor loin de Cozumel. Il sentait encore sur ses lèvres le goût de son dernier baiser, et se souvint avec un serrement de cœur du plaisir qu'il avait éprouvé — pour la dernière fois — à se réveiller à côté d'elle ce matin.

Et pourtant, il allait falloir se faire à l'idée : elle était bel et bien partie. Après tout, c'était sans doute mieux ainsi, se réconforta-t-il en se dirigeant vers la piscine pour un dernier plongeon. Oui, c'était mieux ainsi. Ils avaient pleinement vécu ces quelques jours ensemble et, comme convenu au départ, en resteraient là. Un merveilleux souvenir, voilà tout ce qui leur resterait. Une semaine de rêve venait de s'écouler. Mais, comme toujours, il fallait accepter de reprendre pied dans le réel.

Il sortait à peine d'une relation sentimentale compliquée, et renouer pour de bon avec une femme était la dernière chose à faire en pareil cas. D'ailleurs, Taylor elle-même ne semblait pas désireuse de s'engager. Alors, où était le problème ? Le mieux à faire était de passer à autre chose. Même si, au plus profond de lui-même, il se demandait bien comment il parviendrait à résister à la tentation de prendre contact avec elle à son retour à Baltimore…

— *Hola, amigo* !

Une main amicale s'abattit sur son épaule. Il se retourna et vit Raoul, un grand sourire aux lèvres. Ils se serrèrent la main avec énergie.

— Vous partez demain, n'est-ce pas, *señor* Dev ?

— Eh oui… Il faut que je retourne travailler, Raoul.

— Vous devriez venir vous installer à Cozumel, *amigo*. Comme ça vous pourriez travailler tout en restant ici. Ce serait le paradis toute l'année.

Dev essaya bien de ne pas laisser cette idée s'infiltrer dans son esprit, mais en vain : sans Taylor, Cozumel ressemblerait beaucoup moins à l'idée qu'il se faisait du paradis.

Comme s'il lisait dans ses pensées, Raoul demanda d'un air entendu :

— Et la *señorita*… elle repart avec vous ?

Dev secoua la tête.

— Non. Elle vient juste de s'en aller.

— Ah, voilà pourquoi vous faites cette tête, alors ! Mais vous la reverrez… Vous vivez bien dans la même ville, non ?

Dev eut un petit sourire. Si seulement les choses étaient si simples…

— Oui, mais Baltimore est un peu plus grand que San Miguel, expliqua-t-il en faisant référence au petit village principal de l'île. Il y a peu de chances que nous nous rencontrions dans la rue, elle et moi.

Raoul lui lança un regard amusé, tout en fronçant les sourcils.

— Dans mon pays, un homme intelligent ne s'en remet pas à la chance pour ce genre de choses. La *señorita* est vraiment charmante. Le genre de femme qu'on n'oublie pas comme ça.

— Je sais, répliqua Dev, un peu penaud. Mais elle est aussi très entêtée.

Les yeux de Raoul brillèrent d'une lueur indéfinissable.

— Ce sont souvent les femmes les plus intéressantes... Un défi n'en est pas un s'il est facile à remporter, pas vrai ?

Dev éclata de rire.

— Vous savez tout, pas vrai, Raoul ?

— Non. Seulement ce qui vaut la peine d'être su, *amigo*, répondit-il en lui adressant un clin d'œil.

A travers le hublot de l'avion, Taylor contemplait une dernière fois le bleu presque irréel des eaux du golfe du Mexique, encore perceptible à travers les nuages. Elle se pencha pour mieux voir, et ce simple mouvement réveilla une légère douleur dans les muscles de ses cuisses — et du même coup, réveilla le souvenir des étreintes passionnées qui lui avaient valu ces courbatures. Visiblement, il ne lui avait pas suffi de penser à Dev tout le long du trajet vers l'aéroport... D'ailleurs, quoi d'étonnant à cela ? songea-t-elle avec fatalisme. Depuis qu'elle l'avait rencontré, une semaine auparavant, elle n'avait pas cessé de penser à lui. Ce qui lui avait paru plutôt normal, dans la mesure où ils ne s'étaient pas quittés un instant.

Mais la mélancolie si difficile à chasser qu'elle éprouvait désormais s'expliquait sans doute, tout simplement, par la tristesse inévitable que provoque la fin de vacances particulièrement réussies. Cela n'avait sûrement aucun rapport avec le bonheur qu'elle avait ressenti dans les bras de Dev. Ni avec le goût de ses baisers, ou la douceur de ses caresses. Encore moins avec la manière dont ils s'endormaient lovés l'un contre l'autre après avoir passionnément fait l'amour...

« Allons, Taylor, réveille-toi ! » s'enjoignit-elle avec détermination. A quoi bon fantasmer ? Dev, comme tous les hommes, devait probablement oublier de rabattre la cuvette des toilettes et laisser traîner ses chaussettes sales sur le carrelage de la salle de bains. S'ils avaient passé ne serait-ce qu'une semaine ensemble dans des conditions de vie normale, il l'aurait sûrement rendue chèvre. La magie aurait forcément disparu au bout de quelques jours.

Il fallait désormais tourner la page, voilà tout. Cette semaine resterait comme l'un de ses plus beaux souvenirs de vacances, mais elle n'avait aucune intention de chercher à le revoir. Après ce qu'elle avait vécu avec Bennett, elle n'était pas encore prête à s'investir dans une nouvelle relation avec un homme. Rien que d'y penser lui fichait une peur bleue.

— Souhaitez-vous boire quelque chose, mademoiselle ? demanda l'hôtesse de l'air en s'arrêtant devant son siège.

— Volontiers, merci. Je vais prendre…

Elle réfléchit quelques secondes, et sentit un sourire lui monter aux lèvres.

— Je vais prendre un petit verre de tequila, s'il vous plaît.

Cette simple requête lui ramena à la mémoire toute une série d'images plus exotiques les unes que les autres : les colonies de petits crabes roses se frayant un chemin vers la mer, le singe qu'elle avait surpris dans un arbre en sortant un matin de sa chambre, les teintes incroyables que prenait le ciel de Cozumel au coucher de soleil…

Pendant que l'hôtesse lui servait son verre, elle sortit de sa poche le coquillage nacré que Dev lui avait mis dans la main au moment où elle montait dans la navette de l'aéroport. « Un souvenir du Mexique », avait-il précisé en la regardant droit dans les yeux.

— Et voilà votre tequila, mademoiselle.

Taylor prit le verre qu'on lui tendait, le leva à la hauteur du hublot, portant mentalement un toast au Mexique, aux amours de vacances… et à Dev Carson.

Oui, vraiment, il le méritait bien.

*
* *

Pour une raison mystérieuse, le bruit métallique du tapis roulant devant lequel elle attendait ses bagages lui parut particulièrement désagréable, mais ce ne fut rien en comparaison de la détestable vision du manteau de laine et de l'écharpe qu'elle dut exhumer du sac de voyage qu'elle avait gardé avec elle dans l'avion. Si rien ne rivalisait avec le plaisir d'échapper aux rigueurs de l'hiver en s'envolant pour les tropiques, rien n'égalait non plus la difficulté qu'il y avait à se réacclimater au retour…

Dire qu'il y avait à peine quelques heures, elle dansait en plein air, tout juste vêtue d'une courte robe en lin et d'une paire de sandales… dans les bras de Dev.

— Arrête ça tout de suite, Taylor, grommela-t-elle entre ses dents, furieuse de penser de nouveau à lui.

— Voilà qui n'est pas très bon signe, lança une voix moqueuse. Tu pars pour trois semaines dans les Caraïbes, et tu reviens en parlant toute seule… Je t'avais bien dit que tu aurais dû m'emmener !

Taylor se retourna et sourit avec une joie indicible à une jeune femme tout de rouge vêtue, jusqu'au béret écarlate qui recouvrait son épaisse chevelure noire. Elle se précipita dans les bras de Jody Bradshaw, sa meilleure amie depuis l'université.

— Bienvenue à la maison, lança Jody. Tu as l'air scandaleusement en forme. Et ce bronzage… Je crois que je vais de ce pas contacter mon agent de voyage et lui demander de me réserver une place pour le prochain vol en direction du Mexique !

— Je *suis* ton agent de voyage, pouffa Taylor.

— En parlant de voyage… Alors, comment c'était ?

— Génial. Je suis juste éreintée par les huit heures de vol.

— « Génial », c'est tout ? J'aimerais avoir un peu plus de détails. Je ne sais pas, moi… Quelque chose comme : « J'ai rencontré un homme incroyablement sexy et nous avons fait l'amour toutes les nuits sur la plage. »

— Alors considère que je l'ai dit, répliqua Taylor dans un sourire malicieux.

— Non ? C'est pas vrai ! Toi, madame sainte-nitouche ? Je veux tout savoir…

— Crois-moi, je…

Elle s'interrompit brusquement : sa valise venait d'apparaître sur le tapis roulant. Avec difficulté, elle se fraya un chemin parmi les autres passagers avant de revenir vers son amie. Puis elles se dirigèrent vers la sortie, bras dessus bras dessous.

— Je te préviens, il ne fait pas chaud dehors, l'avertit Jody. Bienvenue à Baltimore !

D'un geste maussade, Taylor enroula son écharpe autour de son cou et boutonna son manteau.

Jody la prit par le bras et l'entraîna en direction du parking.

— Parle-moi de tes vacances, ma belle… Pardon, de tes deux semaines de travail éreintant sous les tropiques et de tes courtes vacances.

— Arrête, protesta Taylor. J'ai vraiment travaillé, tu sais… Bon, c'est vrai, les conditions de travail étaient meilleures qu'ici. Mais je n'avais pas pris de vacances depuis cinq ans !

— De toute manière, ce qui m'intéresse surtout, c'est *lui*… reprit Jody en la fixant malicieusement. Allez, je veux tout savoir.

— Eh bien… Il s'appelle Dev. Il avait un corps sublime, une bouche à tomber raide, et des yeux incroyables.

Une bouffée de nostalgie l'envahit à cette évocation.

— Il était sexy, drôle, avec de larges épaules, reprit-elle. Et des yeux, mon Dieu, des yeux…

— Tu te répètes, ma douce, ironisa Jody.

— Mais ses yeux valent la peine qu'on les décrive deux fois ! se justifia Taylor en riant.

— De quelle couleur, les yeux ?

— Vert émeraude. Une couleur que je n'avais encore jamais vue, ajouta-t-elle rêveusement.

Jody s'arrêta devant sa voiture et sortit ses clés de la poche de son manteau.

— Ça ressemble sacrément à l'homme idéal, tout ça, si je ne me trompe pas... Et je suppose que ce spécimen rare habite à l'autre bout du pays, non ?

— Pas exactement, avoua Taylor, très peu désireuse d'en dévoiler davantage. Elle connaissait d'avance la réaction qu'aurait Jody si elle découvrait que...

— Ne me dis pas qu'il habite à Baltimore, tout de même ? s'écria son amie, incrédule.

Seigneur ! Taylor fut bien obligée de capituler.

— Si.

— Mais c'est merveilleux ! s'enthousiasma Jody en mettant sa valise dans le coffre. Non seulement tu viens de vivre un extraordinaire amour de vacances, mais en plus tu vas pouvoir le prolonger ! Quelle veinarde...

— Il n'en est pas question, coupa Taylor, un peu sèchement. On s'est bien amusés, mais ça s'arrête là.

Déterminée à mettre fin à la conversation sur le sujet, elle s'installa dans la voiture.

— Tu plaisantes, j'espère ? s'indigna Jody en s'asseyant derrière le volant. Ce type a l'air génial, vous venez de passer une semaine de rêve ensemble... Et toi tu essayes de me dire que tu n'as pas envie de le revoir alors que vous habitez dans la même ville ? Tu as perdu la tête ?

Taylor attacha sa ceinture de sécurité en soupirant. Elle en aurait mis sa main au feu ! Jody ne cessait de la sermonner sur sa vie amoureuse, qu'elle trouvait un peu trop calme ces derniers temps — enfin, ces dernières années...

— Ecoute, Jody, la dernière chose dont j'ai besoin en ce moment, c'est d'une relation à long terme avec un homme.

— Qui te parle de long terme ? Pourquoi ne pas le revoir une ou deux fois, pour commencer ? Tu verras bien comment les choses évoluent.

— Les choses évoluent toujours de la même façon, tu le sais bien. Et puis aucun de nous deux n'est prêt à s'engager. Il vient de rompre avec sa fiancée à quelques jours de leur mariage. Et moi, il n'est pas question que je paie les pots cassés... En plus, je viens peut-être de passer une semaine de rêve avec lui, comme tu dis, mais j'étais en vacances. Je ne veux pas d'homme dans ma vie en ce moment.

Jody lui lança un regard appuyé.

— Taylor... Tu ne veux plus d'homme dans ta vie parce que tu as commis une erreur en épousant Bennett ? C'est ça, ton idée ? Rester seule jusqu'à la fin de tes jours ?

— Je ne suis pas encore complètement remise de mon histoire avec Bennett, admit Taylor en baissant la tête. C'est encore trop tôt. Un jour, je sortirai de nouveau avec un homme. Un type bien, je veux dire, quelqu'un de facile à vivre et qui comprendra ce qui est vraiment important pour moi.

— Un type que tu pourras mener par le bout du nez pour te venger de Bennett ? ironisa Jody.

— Qu'est-ce que tu insinues ? Que je suis trop autoritaire ? demanda-t-elle avec une pointe de mauvaise humeur.

— Non, corrigea Jody en la fixant. Simplement, je veux dire que tu as tellement peur qu'un homme puisse de nouveau avoir un ascendant sur toi que tu es prête à tout pour éviter ça. Même à sacrifier une histoire qui commence aussi bien que celle-ci. Et tout cela pour de très mauvaises raisons.

Taylor se renfonça dans son siège sans répondre. Jody mit en route le moteur puis se tourna vers elle.

— Je suis sérieuse, ma belle. Cinq ans, c'est long. Tu as eu tout ton temps pour te remettre de ce maudit divorce. Maintenant, il faut que tu te remettes à vivre. Et donc à prendre des risques. Le bonheur est à ce prix. Et tu le sais très bien.

Sur ces mots, elle appuya sur l'accélérateur et prit le chemin de l'autoroute.

8.

Le couloir qui menait du parking au bâtiment abritant ses bureaux était purement utilitaire, mais il aurait tout de même pu être plus chaleureux, songea Taylor en longeant les murs gris sous la lumière crue des néons. Sans compter qu'il y faisait toujours un froid de canard… Elle laissa échapper un soupir résigné en remontant le col de son manteau. Décidément, sa parenthèse tropicale était bel et bien refermée !

Heureusement, au bout de ce couloir sinistre, elle allait trouver son agence refaite du sol au plafond. A l'occasion des travaux qui avaient lieu sur la façade, son propriétaire lui avait promis, en échange des trois semaines de fermeture forcée, des locaux flambant neufs. Et en dépit de la légère tristesse qui l'accompagnait depuis la fin de ses vacances, elle brûlait d'impatience de découvrir le résultat.

D'un pas alerte, Taylor franchit le sas anti-incendie séparant le couloir de l'intérieur de l'immeuble et s'engagea dans l'escalier qui conduisait à l'agence, située au rez-de-chaussée. Une fois devant la porte, elle remarqua une petite flaque d'eau sur le seuil. Fronçant les sourcils, elle leva la tête et s'aperçut que le mur ruisselait, lentement mais sûrement, comme si une fuite d'eau provenait du plafond. Ça ne pouvait tout de même pas venir de son bureau… Tout venait d'être refait ! Prenant mentalement note qu'elle devait vite contacter son propriétaire, elle introduisit sa clé dans la serrure.

Et quand elle ouvrit la porte, elle comprit qu'en effet, elle allait devoir appeler son propriétaire *au plus vite*. Au lieu du contact moelleux d'une moquette toute neuve, les talons de ses bottes fourrées ne rencontrèrent que celui du béton brut. Devant elle s'étendait une pièce entièrement vide. Aucune trace du comptoir d'accueil, ni de la table basse qu'entouraient habituellement les fauteuils réservés aux clients. Sidérée, Taylor se demanda pendant une fraction de seconde si l'agence n'avait pas été victime d'un cambriolage.

Sauf que l'absence de mobilier n'était pas le seul problème, loin de là, constata-t-elle en faisant le tour des locaux, la rage au ventre. Posés dans un coin, les radiateurs muraux attendaient d'être réinstallés. Du plafond pendaient des câbles électriques qui attendaient leur branchement. Sans parler des lambeaux de papier peint à moitié arrachés des murs, des taches de peinture sur le sol, ou des auréoles d'humidité nettement visibles çà et là.

« Je vous en supplie, mon Dieu, dites-moi que je rêve ! » pria-t-elle mentalement en contemplant l'étendue du désastre. Malheureusement, le cauchemar était bel et bien réel… Son propre bureau, séparé du reste de l'agence par une porte vitrée qu'elle se résolut à pousser la mort dans l'âme, n'avait pas non plus été épargné. Certes, la nouvelle moquette bleu roi y avait bien été posée, mais les murs, eux, n'avaient encore fait l'objet d'aucune rénovation. De toute façon, comment pourrait-elle y travailler puisque son bureau et son fauteuil n'avaient pas été remis en place ?

Dire que l'agence était censée ouvrir dans une demi-heure à peine… A cette idée, Taylor sentit la colère l'étouffer. Quelle que soit son identité, le responsable de cette horreur allait l'entendre !

— Mais enfin qu'est-ce que c'est que ça ? s'étonna dans son dos une voix familière.

Taylor se retourna et reconnut Nicole, l'une de ses deux employées.

— Je vois que vous n'étiez pas au courant non plus, constata-t-elle avec amertume.

— Non, pas le moins du monde. Je croyais que les travaux devaient être terminés hier…

— En effet, ils devaient l'être, fulmina Taylor.

— Que s'est-il passé, alors ?

— C'est bien ce que j'ai l'intention de découvrir, affirma-t-elle avec détermination au moment où deux ouvriers faisaient leur apparition, les bras chargés d'outils de toute sorte.

— Excusez-moi mesdames, mais le chantier est interdit au public, lança l'un d'eux.

— Nous travaillons ici, rétorqua Taylor. Ou plutôt nous étions censées *pouvoir* travailler ici aujourd'hui. Auriez-vous l'amabilité de me dire ce qui se passe ?

Le second ouvrier haussa les épaules.

— C'est une rupture de canalisation, madame. Du moins, je crois. Il faudrait voir ça avec le patron. L'eau a endommagé pas mal de choses, et nous devons encore poser la nouvelle isolation avant de finir les travaux.

— Mais ces travaux étaient censés s'achever la semaine dernière ! protesta Taylor avec désespoir. Combien de temps cela va prendre ?

— Ça, je n'en ai aucune idée. Demandez au contremaître, c'est lui qui supervise les opérations. Vous le trouverez dans le préfabriqué installé dehors.

Taylor ne se le fit pas dire deux fois. Son sang ne fit qu'un tour. Il allait voir ce qu'il allait voir, ce maudit contremaître.

— Qu'est-ce que vous allez faire ? demanda Nicole, l'air inquiet.

— Je vais aller dire deux mots au responsable de ce désastre, gronda-t-elle en se dirigeant vers la sortie.

Chemin faisant, elle sentit sa fureur monter d'un cran. Son propriétaire s'était pourtant montré catégorique : les travaux de ravalement de la façade et de rénovation des locaux seraient finis à son retour. Elle n'avait accepté de partir que dans ces conditions. Trois semaines de fermeture, c'était déjà beaucoup trop ! Voilà ce qui arrivait quand on partait sous les tropiques en laissant aux autres le soin de faire — ou plutôt de ne pas faire — leur travail... Elle n'aurait jamais dû quitter la ville, mais rester à Baltimore pour surveiller elle-même l'avancement du chantier. Comment avait-elle pu oublier la règle numéro un d'un chef d'entreprise : ne rien laisser au hasard ?

Ceci dit, elle était loin d'être la seule fautive. L'attitude de cette société de travaux était proprement scandaleuse ! Ces gens ne savaient donc pas respecter un contrat ? Elle avait une agence de voyages à faire tourner, et elle n'allait pas laisser son affaire couler à cause de l'incompétence des autres.

De plus en plus irritée, Taylor parvint sur le trottoir et avisa le petit bâtiment préfabriqué installé de l'autre côté de la rue. Déterminée à obtenir l'achèvement des travaux dans un délai record, elle ne chercha même pas à se calmer avant l'entretien important qui s'annonçait. Parfois, faire valoir son bon droit passait par une expression franche et directe — voire par un véritable coup d'éclat. Elle traversa en hâte et gravit les marches qui menaient à la porte du « bureau » du contremaître, qu'elle ouvrit sans frapper.

Elle se retrouva nez à nez avec Dev Carson.

Il y a vraiment des moments où la terre semble s'arrêter de tourner, songea Dev en voyant apparaître Taylor devant lui. Et celui-ci en était un.

Les mêmes pommettes haut perchées, la même chevelure blonde, les mêmes grands yeux sombres qui le fixaient avec acuité… C'était bien elle. Cette femme qui ne cessait de le hanter depuis qu'il avait quitté le Mexique, deux jours auparavant. Dans l'avion du retour, dans le taxi qui le ramenait chez lui, dans sa grande maison vide, son image le suivait partout, de jour comme de nuit. Pas seulement son image, d'ailleurs, mais aussi son parfum, le grain velouté de sa peau, la sensualité de son rire. Pour un simple amour de vacances, elle se révélait un souvenir sacrément difficile à oublier.

D'ailleurs, il s'était rendu à l'évidence : peu importait l'accord qu'ils avaient conclu à Cozumel. Coûte que coûte, il la reverrait.

Bien sûr, elle ne portait plus ni sarong coloré ni Bikini affolant, mais d'élégants vêtements de ville adaptés à l'hiver, en l'occurrence un long manteau en laine bouillie grise et de hautes bottes fourrées aux talons interminables. Et sa coiffure soigneusement étudiée manquait un peu du charme naturel de celle qu'elle adoptait à la plage. Mais il n'y avait pas que cela. Quelque chose en elle, au-delà de l'apparence, semblait différent. Profondément différent. De toute évidence, elle n'était pas dans le même état d'esprit qu'à peine quelques jours auparavant. Une tension nerveuse émanait de toute sa personne, et il comprit soudain qu'elle était dirigée vers lui.

— Qu'est-ce que tu fabriques ici ? demanda-t-elle d'une voix où le trouble le disputait à la colère.

— Je travaille.

— Tu *quoi* ? s'étrangla-t-elle, visiblement abasourdie.

Il la vit lutter pour se ressaisir. De toute évidence, le trouver là l'avait sacrément secouée.

— Je travaille ici, répéta-t-il en affichant une expression neutre. Mon associé et moi sommes en charge des travaux.

— Tu veux dire que cela fait des mois que tu travailles dans le coin ?

— Comment crois-tu que j'ai trouvé ton agence pour mon voyage de noces ?

— Mais… Pourquoi ne m'as-tu rien dit ? bredouilla-t-elle.

Dev se risqua à jouer la mauvaise foi. Dire la vérité risquait de la mettre encore plus en colère…

— Tu ne m'as jamais posé la question.

Taylor prit une profonde inspiration, retrouvant peu à peu la maîtrise de ses émotions.

— Ne te moque pas de moi, s'il te plaît, lâcha-t-elle d'un ton cassant. Je croyais que nous étions tombés d'accord sur le fait de ne plus jamais nous revoir.

— C'est vrai, admit-il. Mais je ne pensais pas que nos activités professionnelles devaient entrer en ligne de compte.

— Tu travailles à deux pas de mon bureau, et tu considères que ça n'entre pas en ligne de compte ? explosa-t-elle en le fusillant du regard.

— Ecoute, tu savais que je vivais à Baltimore, non ? Nous étions d'accord pour ne pas chercher à nous revoir à notre retour, et j'ai respecté notre marché. Il se trouve que je travaille ici, voilà tout. C'est le hasard.

Il se leva de son fauteuil et, sans la quitter des yeux, s'assit directement sur son bureau.

— En fait, je dirais même qu'en cet instant c'est toi qui es venue me chercher là où je me cachais…

Taylor eut un sourire mauvais.

— Ça, pour venir te chercher, je suis venue te chercher. Tu as des comptes à me rendre, vois-tu. Mon agence est dans un état indescriptible, et si j'ai bien compris c'est toi le responsable.

Dev ne put s'empêcher de soupirer. Taylor n'était pas la seule à avoir trouvé une foule de problèmes en rentrant de vacances. Ce matin, il avait découvert avec horreur qu'aucun des travaux prévus dans l'immeuble n'était terminé. Et bien sûr, Riley — son associé — était introuvable…

— Apparemment, il y a eu des complications imprévues pendant mon absence, s'excusa-t-il.

— Et, naturellement, il ne t'est pas venu à l'esprit de rentrer plus tôt pour superviser les travaux toi-même ? Je suppose que lézarder sur la plage pendant trois semaines était beaucoup plus important !

Le problème, c'est qu'il n'avait été mis au courant que ce matin… Comment aurait-il pu deviner que les choses tourneraient ainsi ? Elle n'allait tout de même pas lui reprocher d'avoir osé prendre des vacances… alors que, dès le départ, elle lui avait refusé l'annulation qu'il demandait ?

— Est-ce que tu as contacté tes employées pendant tes vacances ? interrogea-t-il d'un ton neutre.

— Je ne vois pas le rapport.

— L'as-tu fait ? insista-t-il.

— Non, je n'ai pas cherché à leur téléphoner, admit-elle de mauvaise grâce.

— Eh bien, moi non plus. Si ma mémoire est bonne, nous avions beaucoup mieux à faire, glissa-t-il dans un sourire plein de sous-entendus.

Il fut ravi de la voir rougir jusqu'à la racine des cheveux.

— Je te préviens, Dev Carson, tu n'as pas intérêt à t'engager sur cette voie… Du moins si tu tiens à ta santé, menaça-t-elle en lui jetant un regard noir.

Incapable de se retenir, Dev s'approcha d'elle et lui caressa la joue du bout des doigts. Comment pouvait-elle refuser d'évoquer des moments aussi délicieux ?

Taylor s'écarta avec un agacement manifeste.

— Ecoute, Dev, j'ai une agence de voyages à faire tourner. Je ne peux pas me permettre de fermer boutique plusieurs semaines supplémentaires, le temps que tu daignes faire le travail qui t'a été confié.

Elle prit une profonde inspiration avant de poursuivre :

— Je n'ai plus ni meubles, ni moquette, ni même de courant électrique. A certains endroits, les murs et le plafond sont à nus... Est-ce que tu te rends compte de ce que cela signifie ? Je suis censée ouvrir l'agence dans moins d'une demi-heure ! Les travaux devaient être terminés vendredi. Nous sommes lundi matin, et rien n'est fini. Est-ce que tu peux m'expliquer pourquoi ?

— Du calme, ma belle, souffla-t-il en faisant un pas vers elle.

— Non, c'est toi qui vas te calmer, rétorqua-t-elle avec humeur. Je veux mon bureau en état de marche le plus vite possible. A commencer par l'électricité, que je puisse au moins faire fonctionner mes ordinateurs. Crois-tu que tu pourras me brancher dès demain ?

— Et pourquoi pas tout de suite ? proposa-t-il en la prenant dans ses bras.

L'effet de surprise y était sans doute pour beaucoup, mais lorsqu'il posa ses lèvres sur celles de Taylor, elle se laissa faire. Avec une délectation indicible, il l'embrassa passionnément, comme il rêvait de le faire depuis deux jours. Une onde d'excitation le parcourut en retrouvant les sensations charnelles qui lui avaient tant manqué. Visiblement, Taylor ne restait pas non plus insensible à cette étreinte qui scellait leurs retrouvailles : certes, tout son corps semblait figé, et elle tentait de le repousser à bout de bras. Mais sa bouche, elle, lui rendait indéniablement son baiser...

Jamais il n'aurait cru être aussi bouleversé. Un torrent de sensations exquises, à la fois voluptueuses et pleines de tendresse, se répandit dans ses veines comme une coulée de lave brûlante. C'était comme s'il renouait subitement avec une part de lui-même. Comme s'il rentrait chez lui. En l'embrassant, il avait cédé à un élan immédiat — accompagné, pour être honnête, d'une envie de prouver à Taylor qu'elle aussi le désirait toujours. Mais il n'avait pas prévu d'être ainsi ébranlé au plus profond de lui-même…

— Ça suffit ! s'écria Taylor d'une voix mal assurée en s'écartant brusquement de lui. Ne t'approche plus de moi. Nous ne sommes plus en vacances, Carson. Nous sommes de retour dans la vraie vie, à présent.

— Je crois que la semaine dernière aussi, nous étions dans la vraie vie, comme tu dis, répliqua-t-il, envahi par un subit sentiment de manque.

— Non. La semaine dernière n'était qu'une jolie parenthèse au pays des fantasmes. Mais cette parenthèse est close. Je n'ai aucune envie que tu continues à m'embrasser de la sorte.

Dev ne put réprimer un léger sourire.

— C'est bizarre. Il m'a pourtant semblé que tu me rendais mon baiser, à l'instant…

Elle lui adressa un regard glacial.

— Ce qui s'est passé au Mexique est derrière nous, tu entends ? Ça ne signifie plus rien à mes yeux. La seule chose qui m'importe, désormais, c'est que tu remettes mon agence en état au plus vite. Sinon, je serai dans l'obligation de me plaindre à mon propriétaire.

Dans un bruit métallique qui les fit sursauter tous les deux, la porte du préfabriqué s'ouvrit, pour laisser apparaître un jeune homme aux cheveux roux et aux grands yeux gris. Ces mêmes yeux se posèrent successivement sur Dev et Taylor, avec une expression de surprise manifeste.

— Désolé de vous interrompre… Mais il me semblait bien que tu rentrais ce matin, Dev.

— Et moi il me semblait bien que tu finirais par te montrer un jour ou l'autre, rétorqua Dev avec irritation.

— J'ai eu un problème de voiture.

— Ce n'est rien à côté des problèmes qui t'attendent ici, annonça Dev. Taylor DeWitt, voici Riley Caldwell, mon associé. Riley, Taylor dirige l'agence de voyages qui se trouve au rez-de-chaussée.

— Enchanté, lâcha Riley, un peu gêné. Désolé pour le retard qu'ont pris les travaux…

Taylor lui serra la main avec froideur.

— Merci pour vos excuses, mais j'ai bien peur que cela ne suffise pas. J'aimerais savoir quand vous et votre associé comptez rattraper vos erreurs. Chaque jour de fermeture supplémentaire représente un gros manque à gagner pour moi.

— Ecoute, intervint Dev, Riley et moi allons étudier la situation pour la normaliser dans les meilleurs délais. Si tu veux aller boire un café et revenir dans un petit quart d'heure, je pense que nous pourrons te donner une réponse.

— Très bien, acquiesça-t-elle sèchement. Mais je te préviens, vous avez intérêt à trouver une solution rapide à ce désastre.

Sur ces mots, elle tourna les talons et quitta la pièce.

Riley s'assura qu'elle avait bien refermé la porte derrière elle avant de revenir vers Dev, l'air goguenard.

— Qu'est-ce que c'est que cette histoire, mon vieux ?

— Comment ça ? Ne me dis pas que tu ne comprends pas pourquoi elle est furieuse ? C'est pourtant clair, non ?

— Je ne parle pas de ça, et tu le sais très bien. J'ai entendu la fin de votre petite conversation, et il m'a semblé qu'il n'était pas seulement question de travaux entre vous…

— La question n'est pas là, coupa Dev avec impatience.

— Je veux dire, si à partir d'aujourd'hui on a le droit de recevoir des femmes dans notre bureau, je…

— Ça suffit, Riley. Les seules femmes que nous recevons ici sont celles dont les bureaux ont été inondés, d'accord ? Est-ce que tu peux m'expliquer ce qui s'est passé ?

Riley haussa les épaules.

— Un accident imprévu, voilà ce qui s'est passé. Les travaux étaient presque terminés, lorsqu'il y a eu une rupture de canalisation dans le plafond. En une minute, les chutes du Niagara ont dévalé dans tous les locaux du rez-de-chaussée. Il a fallu sécher tout ça et reprendre les travaux depuis le début.

Dev n'avait pas besoin d'en entendre davantage. Riley et lui travaillaient ensemble depuis suffisamment longtemps pour qu'il sache à quoi s'en tenir sur son sens des responsabilités en cas d'urgence. Riley possédait des compétences indéniables, mais la gestion de crise n'en faisait pas partie. S'il n'avait pas commis l'erreur de prendre trois semaines de vacances, les événements se seraient déroulés différemment.

— Ceci dit, tu as l'air d'être dans les meilleurs termes avec cette Taylor… ajouta Riley. Tu peux peut-être la convaincre de prendre son mal en patience.

Dev sentit la moutarde lui monter au nez.

— Laisse tomber, Riley, d'accord ?

— Et même si tu viens juste de rompre tes fiançailles, cette liaison peut avoir du bon, poursuivit Riley comme s'il n'avait pas entendu sa mise en garde.

D'un geste brusque, Dev tapa du poing sur son bureau.

— Bon sang, qu'est-ce qui te prend, Riley ?

Penaud, son associé se laissa tomber sur une chaise en soupirant.

— Melissa a appelé quasiment tous les jours depuis ton départ. J'ai eu beau lui dire que tu resterais absent pendant trois semaines, elle m'a dit que cela lui faisait du bien de parler avec moi. Avec quelqu'un de proche de toi.

— Tant mieux pour elle, asséna Dev avec mauvaise humeur.

— Ecoute, elle veut vraiment avoir une conversation avec toi, plaida Riley.

— C'est hors de question.

— Dev… Souviens-toi que Melissa est ma cousine. Tu es bien placé pour savoir que c'est par mon intermédiaire que vous vous êtes rencontrés. Elle ne manque pas de me le rappeler chaque fois que je l'ai au téléphone.

— Riley, ce n'est pas ton problème, O.K. ? Tu n'as rien à voir avec toute cette histoire. Tu peux lui dire de ma part la prochaine fois que tu lui parles.

— Non. Je ne lui dirai rien du tout de ta part. Si tu veux lui dire quelque chose, tu n'as qu'à l'appeler toi-même.

Dev plongea son regard dans celui de son associé.

— J'ai déjà dit à Melissa tout ce que j'avais à lui dire. Le soir où je l'ai surprise en galante compagnie à une semaine de notre mariage.

Il y eut un silence prolongé. Puis Riley se racla la gorge avec embarras.

— Je sais, mon vieux. Je suis désolé de ce qui s'est passé. Ça a dû être vraiment dur pour toi.

— Il n'y a pas de quoi être désolé, corrigea Dev. Nous n'étions pas faits l'un pour l'autre et j'aurais dû m'en rendre compte bien avant. Melissa l'a compris la première, voilà tout.

— Je crois qu'elle a changé d'avis entre-temps, tu sais.

— Je ne veux pas le savoir, répliqua-t-il abruptement. Le sujet est clos. Parlons plutôt de quelque chose de plus agréable, par exemple ce que va nous coûter cette maudite rupture de canalisation et surtout les retards qu'elle a entraînés…

L'esprit en ébullition, le cœur battant, Taylor traversa la rue pour rejoindre son bureau.

Le traître ! Il savait depuis le début…

Pendant tout leur séjour au Mexique, il savait pertinemment qu'ils travaillaient à deux pas l'un de l'autre. Tout en lui promettant de ne jamais chercher à la revoir, de respecter le marché qu'ils avaient conclu, il était conscient qu'ils se retrouveraient nez à nez le lendemain de leur retour à Baltimore !

Elle se força à se concentrer sur sa colère pour ne pas prêter trop d'attention au trouble profond qui s'était emparé d'elle quand il l'avait embrassée. A Cozumel, elle s'était complètement laissée aller — pour la première fois depuis très longtemps — mais il était hors de question que cela se reproduise ici. Elle ne pouvait courir ce genre de risque.

Une fois parvenue devant le couloir menant à l'agence, elle aperçut devant la porte Nicole et Allie, ses deux employées, qui la regardaient approcher d'un air inquiet. Luttant pour se composer une expression professionnelle, elle les rejoignit d'un pas décidé.

— Alors, que se passe-t-il ? demanda Nicole.

— Eh bien, je ne sais pas encore exactement de quoi il retourne. Le retard semble accidentel, en tout cas. Mais cela ne change rien à notre problème.

— Combien de temps devrons-nous encore attendre ? interrogea Allie.

— Ils doivent me le dire sous peu après s'être concertés. Mais cela ne risque pas d'être arrangé aujourd'hui, j'en ai peur. Le mieux serait que vous continuiez à travailler chez vous pour le moment. J'espère que les choses rentreront dans l'ordre au plus vite. Pour l'instant, allons prendre un café. Vous me mettrez au courant des affaires que vous avez traitées pendant mon absence, conclut-elle en entraînant dehors ses deux collaboratrices.

Après un double café bien serré et une brioche chaude, elle se sentit un peu mieux.

— Bon, si je récapitule, nous devrions pouvoir garder la tête hors de l'eau pendant encore une semaine en continuant à travailler sur Internet, résuma-t-elle en finissant de prendre quelques notes.

Soudain, un juron lui échappa. Seigneur, comment avait-elle pu oublier une échéance aussi importante ? Il fallait vraiment que la matinée ait été pleine de surprises pour qu'elle néglige son rendez-vous avec l'un des plus gros clients d'affaires du marché !

— Qu'y a-t-il ? s'enquit Nicole d'un air préoccupé.

— La réunion Pace-Miller. Je dois les rencontrer mercredi. Comment vais-je les convaincre de nous confier l'organisation de leurs séminaires à l'étranger si je n'ai aucun document à leur montrer ?

— Vous ne pouvez pas préparer la réunion depuis chez vous ?

Taylor secoua la tête.

— Tout est dans l'ordinateur de mon bureau.

Nicole et Allie échangèrent un regard impuissant.

— Bon, le moment est venu d'aller voir ce qu'il a à dire au sujet de la fin des travaux, déclara Taylor en se levant.

— Qui ça ? demanda Nicole.

Taylor fit un effort pour ne pas laisser paraître son embarras.

— Pardon. Je voulais parler de la personne en charge du chantier, expliqua-t-elle brièvement tandis qu'elles se dirigeaient toutes trois vers les locaux de l'agence.

Rien n'y faisait, s'affola-t-elle en remontant la rue. Elle ne pouvait pas lutter contre l'évidence qu'était devenue la présence de Dev dans sa vie en à peine une semaine… « Taylor, il va falloir te reprendre, et vite ! » se morigéna-t-elle avec énergie. Oui, leur séjour au Mexique avait été paradisiaque. Mais il ne devait constituer, à partir d'aujourd'hui, qu'un merveilleux souvenir, rien de plus.

— Eh ! s'exclama Nicole lorsqu'elles approchèrent de l'entrée de l'agence, devant laquelle se tenait justement Dev. Ce n'est pas le type qui était venu réclamer le remboursement de son voyage quatre jours avant le départ ?

— Si confirma Taylor d'un ton qui se voulait détaché. Apparemment, il avait justement fait appel à notre agence parce qu'il travaillait dans le quartier.

— En tout cas, il est encore plus beau que dans mon souvenir, gloussa Allie. Regardez-moi ce bronzage… Avec ces yeux verts, on en mangerait !

Taylor sentit son cœur se serrer en entendant ces mots. Difficile d'ignorer, en effet, à quel point Dev était attirant… Mais, avec le temps, elle s'habituerait sûrement à maîtriser le désir qu'elle sentait naître en elle rien qu'en le regardant. « Bon sang, mais qu'est-ce que je vais inventer ? De toute façon, dès que les travaux seront terminés, je ne le reverrai jamais ! » Décidément, elle déraillait complètement, ce matin…

— Essayez donc de ne pas vous laisser distraire par son apparence, si séduisante soit-elle, intervint-elle en songeant que ce conseil s'appliquait aussi bien à elle-même qu'à son employée. Je vous signale que notre avenir professionnel dépend désormais de lui. S'il ne se dépêche pas de finir ces maudits travaux, nous pourrions bien mettre la clé sous la porte.

L'enthousiasme d'Allie sembla retomber sur-le-champ. Si seulement elle réussissait à se convaincre elle-même avec autant d'efficacité…

— Nicole, Allie, je vous présente Dev Carson, le contremaître du chantier, reprit-elle d'un ton impassible lorsqu'elles eurent atteint le seuil de l'agence.

Dev les salua avec courtoisie.

— Alors, avez-vous une meilleure idée du délai qu'il vous faudra pour terminer les travaux ? demanda-t-elle en évitant de croiser son regard.

— Nous allons faire tout notre possible pour les achever au plus vite.

Cette fois-ci, Taylor lui adressa un coup d'œil irrité.

— Pourriez-vous être un peu plus précis, je vous prie ?

Dev consulta le planning qu'il tenait en main avant de les inviter à entrer.

— Hé bien, nous devons encore plaquer le nouvel isolant sur les murs, puis les repeindre. Ensuite, nous finaliserons l'installation électrique endommagée par l'inondation, ce qui nous permettra de rebrancher la lumière et le chauffage. Après quoi il ne restera plus qu'à poser la moquette, et vous pourrez réintégrer les locaux.

— Epargnez-nous les détails. Ce que je vous demande, c'est une date, précisa Taylor d'un ton glacial.

— Je pense que nous en aurons terminé vendredi, si tout se passe bien, affirma Dev après une légère hésitation.

Taylor sentit son sang se figer dans ses veines. Vendredi ? Mais sa réunion chez Pace-Miller avait lieu mercredi ! Et, bien sûr, inutile d'essayer de reporter un tel rendez-vous, prévu depuis des mois... Si elle n'était pas en mesure de préparer cette entrevue, elle pouvait dire adieu à un contrat absolument crucial pour l'avenir de son entreprise.

— C'est impossible, répliqua-t-elle avec humeur. J'ai une présentation de la plus haute importance à mettre au point d'ici à après-demain. J'ai absolument besoin de mon bureau.

Dev eut l'air sincèrement désolé.

— Malheureusement, je ne vois pas comment nous pourrions aller plus vite. Même si mes hommes travaillent jour et nuit, il faudra tout de même respecter le temps de pose de l'isolant et laisser à la peinture le temps de sécher. Il y en a pour quatre jours au minimum.

Taylor lutta pour ne pas se laisser envahir par la panique. Il devait bien exister une solution qui la sauverait du désastre... Soudain, une idée l'effleura.

— Les travaux dans mon propre bureau sont plus avancés que ceux du reste de l'agence, non ? Je pourrais peut-être m'y installer pendant que vous terminez ce qui doit être fait ailleurs…

— Vous voulez travailler ici dans le bruit et la poussière ? demanda Dev avec étonnement.

Taylor haussa les épaules.

— Je fermerai la porte. Si vous remettez en place mon bureau et que je peux brancher mon ordinateur et mon imprimante quelque part, je me fiche pas mal du reste. Cette réunion de mercredi est capitale pour mon entreprise, et c'est tout ce qui m'importe.

Dev l'observa de la tête aux pieds, et Taylor se sentit frissonner imperceptiblement.

— Dans ce cas, vous allez devoir renoncer à vos élégants vêtements et mettre un bon vieux jean, fit-il remarquer. Mais après tout, pourquoi pas : nous pouvons mettre les bouchées doubles pour rebrancher le système électrique dans votre bureau personnel et pour y réinstaller un meuble ou deux d'ici à cet après-midi. Mais nous ne pourrons pas refaire la peinture dans un délai aussi bref. Vous devrez vous contenter d'un cadre assez austère. Et si nos allées et venues ne vous dérangent pas…

— C'est parfait, coupa Taylor, soulagée. Faites votre travail, du moment que je peux faire le mien.

— Laissez-nous la matinée et revenez vers 13 h 30, proposa Dev en consultant sa montre. Je vous promets que tout sera prêt à temps.

— C'est exactement ce que disait mon propriétaire avant mon départ en vacances, répliqua-t-elle froidement. J'espère que cette fois-ci vous tiendrez parole, Dev Carson.

Marcher lui avait toujours fait du bien. Et même si, aujourd'hui, le thermomètre était certainement descendu en dessous de zéro, une promenade sur le front de mer, le long du port de plaisance, lui avait paru la meilleure option pour tuer le temps jusqu'à cet après-midi. De toute façon, elle était bien trop agitée pour pouvoir rester assise plusieurs heures dans un café du centre-ville. Et elle n'avait pas eu le courage de rentrer chez elle.

Oui, sentir l'air frais sur son visage et contempler la mer lui faisait beaucoup de bien. Pas assez, cependant, pour chasser de ses pensées l'image de Dev Carson. Comment cela serait-il possible après leurs retrouvailles de ce matin, qui lui avaient fait l'effet d'un coup de tonnerre ? Par quel miracle aurait-elle pu parvenir à le regarder sans penser à la semaine de rêve qu'ils venaient de vivre ensemble ? A lui parler sans imaginer le contact de ses mains sur sa peau ?

Il lui fallait regarder la vérité en face : en l'espace de quelques jours, Dev était devenu une véritable obsession. Une idée fixe qui la laissait démunie, impuissante, sans recours.

Le danger extrême qu'un tel constat ne pouvait manquer de receler la fit frissonner. Autant que le souvenir des nuits passionnées de Cozumel, du poids de son corps sur le sien, du plaisir inouï qu'il avait su lui donner. Mais aussi de leurs fous rires, de leur complicité immédiate qui se passait de mots. Comment était-il possible de se sentir si proche d'un homme qu'on connaissait à peine ? s'interrogea-t-elle avec étonnement. Quelque chose d'incroyablement fort s'était noué entre eux dès la première seconde, comme s'ils se retrouvaient après des années de séparation. Comme s'ils s'étaient déjà rencontrés.

La veille au soir, elle s'était endormie — à grand-peine — en pensant à lui. Et ce matin, sa première pensée avait été pour lui. A sa grande surprise, elle n'avait ressenti que peu d'enthousiasme à l'idée de retrouver sa vie. Sa vie d'avant Dev. Et voilà qu'il refaisait surface comme par magie...

Non, elle n'allait pas se laisser aller à de telles absurdités, s'ordonna-t-elle avec détermination. Tout cela n'était que fantasmes. Si elle avait appris une chose de son désastreux mariage, c'était bien de se méfier des apparences. Et aussi des charmeurs, qui essayaient toujours de vous prendre dans leurs filets pour mieux vous détruire. Comme Dev, qui en un rien de temps s'était immiscé dans son existence, et qui compromettait désormais son avenir professionnel, qu'elle avait mis tant d'énergie à construire depuis trois ans.

Taylor poussa un profond soupir en contemplant les vagues qui dansaient devant elle. En réalité, elle devait bien s'avouer que la plus grave menace que Dev faisait planer sur sa vie ne concernait pas son avenir professionnel…

9.

— Un aller-retour en classe affaires pour Chicago ? Demain matin ? Je vais faire tout mon possible, monsieur Mallone, mais je ne peux rien vous garantir. Ne quittez pas, j'effectue la recherche.

Taylor entreprit de passer en revue les différentes compagnies aériennes susceptibles d'offrir un tel service. Malheureusement, à 7 heures du soir, trouver un billet pour le lendemain matin relevait presque de la mission impossible !

En soupirant, elle se frotta les yeux dans l'espoir de les soulager un peu de leur fatigue. Cette journée n'en finirait donc jamais ? D'abord, le rendez-vous chez Pace-Miller, qui, Dieu merci, s'était plutôt bien déroulé. Bien sûr, ils demandaient à examiner le dossier en profondeur, mais le P.-D.G. lui-même l'avait félicitée pour son « excellente présentation ». Ensuite, elle avait commencé à rattraper le retard accumulé pendant ses trois semaines d'absence, puisque ces deux derniers jours avaient été exclusivement consacrés à la préparation de son entrevue avec les gens de Pace-Miller. Et voilà qu'un client lui demandait un billet pour le lendemain matin…

Tout en poursuivant ses recherches, elle fut soudain distraite par un bruit de pas en provenance de l'entrée de l'agence. Qui pouvait donc bien venir ici à une telle heure ? Peut-être Nicole venue lui faire le compte rendu de ses activités de la journée ?

Se penchant légèrement pour regarder par la porte vitrée de son bureau, elle faillit lâcher le combiné du téléphone sous l'effet de la surprise. Dev Carson fit son apparition devant elle, tout sourire, avant d'entrer dans son bureau sans frapper.

Il n'y avait aucune raison pour qu'un homme ait l'air particulièrement sexy dans un vieux jean délavé et une épaisse chemise de bûcheron s'ouvrant sur un simple T-shirt blanc, mais Dev y parvenait sans peine. Ses cheveux en bataille — exactement comme à Cozumel, ne put-elle s'empêcher de noter — et sa barbe de trois jours lui donnait une allure un peu sauvage.

Et très, très virile, il fallait bien le reconnaître.

Avalant sa salive avec difficulté, elle se concentra sur son écran d'ordinateur. Et, par miracle, tomba précisément sur ce qu'elle cherchait.

— Monsieur Mallone ? reprit-elle en faisant tout son possible pour ignorer le regard de Dev braqué sur elle. Je vous fais parvenir immédiatement par courrier électronique tous les détails concernant votre vol, ainsi que votre facture. Merci d'avoir fait appel à DeWitt Voyages, monsieur. Je vous souhaite un bon séjour à Chicago.

Après avoir raccroché, elle leva les yeux sur Dev qui la contemplait toujours sans mot dire, avec une intensité qui la troubla plus qu'elle ne l'aurait voulu. Après tout, il n'était même pas son type d'homme. Elle préférait, et de loin, les hommes élégants à ceux qui portaient une... une ceinture à outils en cuir accrochée autour de la taille. Sans réfléchir, elle détailla du regard ses larges mains et les avant-bras bronzés que révélaient des manches retroussées jusqu'au coude. Des bras qui l'avaient si souvent portée la semaine dernière, surtout avant l'amour quand il la jetait sur le lit par jeu...

— Salut, Taylor, tu es encore là ?

La voix chaude de Dev la fit légèrement sursauter. Elle se racla la gorge et articula péniblement :

— Oui, j'avais encore du travail. Et toi, qu'est-ce que tu fais là ?

— J'ai trois dispositifs chauffants à installer pendant quelques heures pour accélérer le séchage des murs qui sont encore humides, expliqua-t-il tranquillement. Tu penses rester encore longtemps ?

Elle aurait aimé pouvoir répondre par la négative, mais, malheureusement, il lui restait encore une certaine quantité de travail à abattre. Et tant pis si, en plus de la fatigue, elle devait compter avec la présence de Dev dans la pièce d'à côté... A quoi bon le fuir ? Ils étaient tous deux des adultes, et elle pouvait tout de même gérer une situation délicate. Elle ne s'intéressait plus à lui, point final. C'était aussi simple que ça.

— J'ai encore quelques heures à passer ici, j'en ai peur.

— Tu es sûre ? Il va faire extrêmement chaud dès que j'aurais allumé les trois chauffages, tu sais.

Allons bon, une fournaise ! Il ne manquait plus que ça pour travailler.

— Tu ne peux pas les mettre en route quand nous serons partis ? demanda-t-elle, pleine d'espoir.

A son grand dam, elle le vit secouer la tête.

— Impossible. Ce serait beaucoup trop dangereux. Je dois absolument rester pour surveiller la bonne marche du dispositif, ou nous risquons un incident bien plus grave qu'une simple inondation.

— Eh bien, si tu dois le faire, fais-le, soupira-t-elle, résignée. Tant pis pour la chaleur. Et puis je fermerai la porte de mon bureau.

Dev eut un sourire.

— Je doute que cela fasse une grande différence. Ces chauffages sont très puissants. N'hésite pas à te découvrir un peu si la chaleur est trop forte, ajouta-t-il en la couvant du regard. Ne te gêne surtout pas pour moi.

— Inutile. Ça ira très bien comme ça, affirma-t-elle en se plongeant sur-le-champ dans un dossier posé sur son bureau, furieuse de se sentir troublée par le souvenir des nombreuses fois où elle s'était effectivement déshabillée devant lui.

Juste au moment où Dev s'apprêtait à refermer la porte vitrée derrière lui, il lui lança un sourire enjôleur.

— Au fait, j'aime beaucoup le tailleur que tu portes aujourd'hui. Il te va presque aussi bien que ton Bikini turquoise.

Luttant pour ne pas répliquer, Taylor se contenta de lui lancer un regard furieux. Non, elle ne lui ferait pas le plaisir de répondre à ses provocations… il serait trop content de la faire de nouveau sortir de ses gonds. Prenant une profonde inspiration, elle se replongea dans ses livres de comptes. Depuis trois semaines, personne ne s'était penché sur la comptabilité de l'entreprise — dont elle tenait à s'occuper elle-même — et, si elle voulait éviter un désastre, elle avait vraiment intérêt à avoir une vision claire de la situation financière dans laquelle DeWitt Voyages se trouvait…

Avec un soupir, elle se mit donc au travail. Un travail fastidieux, en tout cas bien moins passionnant que le contact avec la clientèle. Sans compter que, depuis la pièce d'à côté, s'élevaient maintenant des bruits de marteau et de perceuse qui ne facilitaient pas la concentration. Naturellement, Dev n'avait pas pris la peine de lui expliquer ce qu'il faisait. Il devait penser qu'elle était le genre de femme à venir elle-même mesurer l'avancement du chantier, et à admirer la tension des muscles de ses bras tandis qu'il maniait ses outils… Il croyait sans doute qu'elle continuait à fantasmer sur lui, et qu'elle ne perdrait pas une si belle occasion de se rincer l'œil.

Eh bien, s'il croyait tout cela, il commettait une grossière erreur. Non, elle n'avait aucune intention de se laisser distraire du travail capital qu'elle avait à accomplir pour la survie de sa société.

Avec une détermination accrue, elle se replongea dans les colonnes de chiffres qui s'alignaient sous ses yeux. Mais, elle devait bien le reconnaître, elle avait sous-estimé la puissance du dispositif de chauffage installé par Dev. Avec trois radiateurs branchés au maximum et braqués sur le mur qui faisait face à son bureau, la chaleur qui y pénétrait commençait à devenir difficilement supportable. Après avoir déboutonné le col de son chemisier dans l'espoir d'y gagner un peu en fraîcheur, elle se résolut, assoiffée, à aller prendre une bouteille d'eau dans la glacière installée dans la pièce principale.

Ce faisant, elle prit soin de ne pas chercher Dev du regard. Tant pis s'il était déçu de ne pas pouvoir exhiber ses talents ou sa musculature. Du moment qu'il ne la dérangeait pas, elle se fichait bien de sa présence.

De retour dans son bureau, elle réalisa avec déception que plusieurs gorgées d'eau fraîche n'étaient pas d'un grand secours dans une telle fournaise. D'un geste le plus discret possible, elle se débarrassa de ses chaussures, puis, après un temps d'hésitation, de son collant et de sa culotte, qu'elle posa sur son bureau derrière une pile de dossiers. Si on lui avait dit un jour qu'elle ferait ses comptes sans sous-vêtements, elle ne l'aurait jamais cru ! Mais les circonstances étaient particulières, et ce maudit bilan devait vraiment être effectué au plus vite. D'autant que, d'après ses premiers calculs, la situation n'avait rien de brillant…

Pourvu que Pace-Miller accepte l'offre qu'elle venait de leur faire ! pria-t-elle intérieurement. S'ils signaient le contrat, elle serait sortie d'affaire — du moins pour un temps. Même si un marché aussi important nécessiterait sans doute un sacré surcroît de travail. D'abord, il lui faudrait proposer toute une série de destinations alléchantes pour les séminaires de l'entreprise. Les Bahamas, peut-être ? Ou alors les îles Caïmans ? En tout cas, un lieu de rêve, où le soleil brillait toute l'année, comme à

Cozumel… Avant qu'elle ait eu le temps de s'en empêcher, son esprit fut envahi par un flot de souvenirs tous plus idylliques les uns que les autres. La caresse des rayons du soleil sur la peau nue de sa poitrine, ainsi que celle des larges paumes viriles qui enduisaient son ventre de crème protectrice…

— En fermant les yeux, on pourrait presque se croire au Mexique, lança une voix chaude qui la fit sursauter.

Toute à sa rêverie exotique, elle avait dû fermer les yeux sans s'en rendre compte. En les rouvrant précipitamment, elle découvrit Dev dans l'encadrement de la porte, un large sourire aux lèvres. Sans doute à cause de la chaleur, il s'était débarrassé de sa chemise et n'arborait plus qu'un simple T-shirt, qui moulait à la perfection ses pectoraux impressionnants.

Taylor ne put se retenir de rougir.

— Je… je faisais une courte pause.

— Ah oui ? Il devait s'agir d'une pause bien agréable, nota Dev, en pointant du doigt le collant et la petite culotte posés sur le bureau.

Taylor sentit ses joues s'enflammer pour de bon.

— Tu voulais quelque chose ? demanda-t-elle en se forçant à ignorer sa remarque.

Dev prit son temps pour répondre.

— Il faut que je fasse quelques vérifications sur la porte de ton bureau, ou plutôt sur son cadre. Juste pour m'assurer que l'inondation n'a pas endommagé les gonds.

Taylor s'efforça ne pas laisser trop paraître son trouble. Il ne suffisait donc pas qu'il travaille dans la pièce d'à côté, il fallait encore qu'il ait justement à faire dans son propre bureau…

« Maudits soient ces satanés travaux ! » pesta-t-elle intérieurement. Si elle tenait le responsable de la rupture de canalisation qui avait provoqué tous ces retards en chaîne, elle lui aurait passé un sacré savon !

— Je t'en prie. Tu peux t'y mettre tout de suite si tu veux, répliqua-t-elle avec autant d'indifférence que possible.

Après tout, l'essentiel était quand même de pouvoir travailler à son bureau, non ? essaya-t-elle de se consoler en reprenant son examen du livre de comptes. Le problème, c'est qu'elle n'avait pas compté, justement, avec sa vision périphérique. En dépit de tous ses efforts pour garder le regard braqué sur les chiffres de son bilan, les mouvements de Dev, en train de s'affairer à quelques pas de son bureau, ne pouvaient pas lui échapper. Décidément, il était bien difficile de se concentrer en présence de quelqu'un d'autre… Et tout particulièrement quand il s'agissait de Dev Carson.

Enfin, il finit par s'éclipser et rejoindre la pièce attenante. Mais, malgré toutes ses bonnes résolutions, Taylor éprouva bien des difficultés à se remettre au travail. Quand son esprit se mit à vagabonder pour la centième fois, elle résolut de se rendre à l'évidence : le moment était venu de rentrer chez elle. D'un geste résigné, elle éteignit son ordinateur : la dernière chose dont elle avait besoin en ce moment était de faire une erreur dans les comptes de son entreprise… Mieux valait s'y atteler à tête reposée. Et surtout, si possible, dans la solitude.

Peut-être qu'une fois dans son appartement, elle arriverait à penser à autre chose qu'à la musculature parfaite de Dev…

« Taylor, arrête de te mentir à toi-même ! » se morigéna-t-elle mentalement. La vérité était pourtant simple : depuis son retour à Baltimore, elle ne parvenait pas à le chasser de ses pensées, qu'elle soit chez elle ou au bureau. Mais après tout, quoi de plus normal ? Dev était le premier homme avec qui elle avait fait l'amour depuis près de cinq ans. Et elle devait le voir tous les jours puisqu'ils travaillaient au même endroit — du moins pour le moment. Dans de telles circonstances, il était plus que naturel d'avoir du mal à l'ignorer.

Après s'être rhabillée et avoir ramassé son sac à main posé sur un coin du bureau, elle se dirigea vers la porte de l'agence. Mais, avant de s'en aller, il allait bien falloir parler à Dev…

Il se tenait accroupi au beau milieu de la pièce, légèrement en sueur — sans doute à cause des radiateurs surpuissants —, visiblement occupé à prendre des mesures.

Taylor, priant pour ne pas laisser sa voix dérailler, se planta juste derrière lui.

— Je voulais juste te dire que je partais. Pourras-tu fermer l'agence quand tu auras fini ?

Dev nota un dernier chiffre sur son carnet avant de lever les yeux vers elle.

— J'ai presque terminé moi aussi. Donne-moi cinq minutes et je pars en même temps que toi. Tu ne vas pas aller chercher ta voiture au parking toute seule à une heure pareille.

— Merci, mais je t'assure que je n'ai besoin de personne pour récupérer ma voiture, rétorqua-t-elle d'un ton froid.

— Ecoute… Pourquoi prendre ce risque ? Le quartier n'est pas très sûr à la nuit tombée, dit-il d'une voix insistante. J'en ai pour cinq minutes tout au plus.

— Je m'en sortirai très bien toute seule.

Une ombre passa dans les prunelles vertes de Dev.

— Si tu te décides à courir un danger en dépit du bon sens et que tu pars sans moi, je te pourchasserai et je te porterai jusqu'à ta voiture. Maintenant assieds-toi et attends. Est-ce que c'est bien clair ? demanda-t-il avec une fermeté qu'elle ne lui connaissait pas.

Furieuse mais incapable de continuer à s'opposer à lui, elle s'assit sur un escabeau abandonné par les ouvriers. Quoiqu'il lui en coûte de le reconnaître, il avait sans doute raison. Ce parking, et le couloir qui y menait, lui avait toujours fait froid dans le dos. Inutile de prendre le risque de se faire agresser en sortant d'ici. Même si, à l'évidence, repartir avec Dev Carson présentait aussi un risque — mais d'une tout autre nature…

Le bruit de ses escarpins à talons résonnait sur le sol en béton en contrepoint parfait du pas massif de Dev, qui portait toujours ses solides bottes de chantier. Pourquoi le nier ? Sa tenue du jour, quoique éloignée des canons traditionnels de l'élégance masculine, avait quelque chose de très attirant.

— Où est ta voiture ? demanda-t-il en appuyant sur le minuteur électrique.

Le son de sa voix, amplifié par l'écho de l'espace bas de plafond du garage, lui arracha un frisson involontaire.

— Ecoute, commença-t-elle, c'est très gentil à toi de vouloir m'accompagner, mais je n'en ai vraiment pas besoin. Pour être honnête, je pense même que nous ferions mieux de passer le moins de temps possible ensemble. Nous avions conclu un marché, tu te souviens ?

— Oui, je m'en souviens, concéda-t-il en lui lançant un regard appuyé. Mais dans la mesure où nous sommes tous deux, en tant que professionnels, habitués à négocier, j'ai pensé que nous pourrions reconsidérer les termes du contrat.

Taylor faillit se tordre la cheville et se retint juste à temps de tomber. Décidément, il avait un de ces culots !

— Oublie ça, lâcha-t-elle d'un ton sans appel. Surtout dans des conditions comme celles-ci. Si j'avais su que tu travaillais ici, la semaine dernière n'aurait jamais existé.

Elle le vit lever les sourcils.

— Tu en es vraiment sûre ? Ce n'est pas comme si tu avais totalement ignoré que nous vivions dans la même ville…

Taylor ne put retenir un mouvement d'humeur.

— La question n'est pas là. Je ne m'attendais certainement pas à être obligée de te voir tous les jours.

— Voilà pourquoi je pense que nous devrions revenir sur le marché que nous avons conclu, insista-t-il. Tu ne crois vraiment pas que ta position pourrait être… disons moins catégorique ?

— Tu rêves, Dev Carson, répliqua-t-elle avec une irritation croissante. Je n'ai vraiment pas besoin de me compliquer la vie en ce moment.

— Je ne vois pas pourquoi cela devrait être compliqué…

— Soyons réalistes, s'il te plaît, s'exclama-t-elle. Entre un homme et une femme, c'est toujours compliqué.

Réprimant un léger tremblement, elle sortit ses clés de son sac et s'arrêta devant sa voiture, fermement décidée à mettre fin à cette conversation à haut risque.

— Je ne crois pas, corrigea Dev. Au contraire, les choses peuvent parfois être très simples…

Lorsqu'il fit un pas dans sa direction, Taylor sentit les battements de son cœur s'accélérer. Reculant dos à sa voiture, elle l'avertit :

— Reste où tu es.

— Mais pourquoi ça ?

— Parce que nous travaillons ensemble, expliqua-t-elle nerveusement.

— C'est faux. Je ne travaille pas pour toi, mais pour ton propriétaire. Et tu ne travailles pas pour moi, que je sache.

Il s'approcha encore, presque jusqu'à la toucher.

— Taylor… Ce que nous avons vécu la semaine dernière ne représente donc rien pour toi ?

Elle prit une profonde inspiration avant de répondre. Malheureusement, cette manœuvre destinée à l'apaiser ne fit que lui rendre plus palpable la délicieuse odeur musquée de la peau de Dev, qui la troublait tant à Cozumel…

— Ce qui s'est passé la semaine dernière était temporaire. Et c'est terminé.

— Encore une fois, pourquoi ? Nous sommes ici tous les deux. Et nous pouvons très bien recréer les conditions de notre séjour mexicain, si c'est le cadre de Baltimore qui te gêne, ajouta-t-il dans un sourire. Nous pouvons retourner à l'agence, mettre en marche les trois radiateurs et nous déshabiller entièrement. Je suis sûr qu'il me reste un peu de crème solaire si tu veux parfaire l'illusion…

— Ne sois pas ridicule, répondit-elle d'une voix enrouée au moment même où une vision de leurs corps nus, enlacés sur la petite île où ils s'étaient réfugiés pendant l'orage, lui envahit l'esprit au point de lui faire oublier le présent.

Dev parut lire dans ses pensées. Sans ajouter un mot, il se pencha vers elle et fit courir un doigt le long de sa joue en plongeant son regard dans le sien. Quand il nicha son visage au creux de son cou pour y déposer une lente traînée de baisers avides, Taylor crut qu'elle allait défaillir. Incapable de le repousser, elle s'adossa à la portière de sa voiture et s'abandonna à l'incontrôlable désir qu'elle sentait monter en elle.

— Hmm, souffla Dev. L'odeur de ta peau m'a tellement manqué… Je te vois encore en train de te parfumer juste là, derrière l'oreille, dit-il en agaçant doucement son lobe droit du bout des dents. J'aurais pu passer l'éternité à te regarder quand tu te préparais pour aller dîner, tu sais…

Taylor sentit ses jambes devenir aussi molles que du coton. L'esprit en feu, les sens exacerbés par la chaleur du corps de Dev contre le sien, tout concourait à lui faire perdre la tête.

— Ce que je préférais, continua-t-il d'une voix rauque entre deux baisers, c'était quand tu t'habillais. Je te voyais enfiler un à un tes vêtements, et je n'avais qu'une idée en tête : te les enlever et te faire l'amour sur-le-champ. Ne me dis pas que tu ne te souviens pas combien c'était bon quand nous faisions l'amour… Ne me dis pas que tu as oublié le plaisir que tu ressentais quand j'étais en toi…

Taylor laissa échapper un gémissement. Seigneur, cet homme allait la rendre folle ! Toute pensée cohérente s'abolit de sa conscience, laissant place à une seule chose : l'excitation inouïe que Dev savait éveiller en elle, même contre sa volonté. Une bouffée de désir brûlant la submergea. Plus rien ne comptait en dehors des lèvres puissantes qui se posèrent sur les siennes pour lui ravir un baiser fougueux. Le monde alentour disparut d'un seul coup ; en une fraction de seconde, elle se trouva transportée hors du parking glacial de Baltimore, pour retrouver la chaleur extrême de leurs étreintes mexicaines. Oh non, elle n'avait pas oublié le goût de ses baisers, ni la manière dont sa bouche savait prendre possession de la sienne…

Frémissante, hors d'haleine, elle l'enlaça plus étroitement pour mieux savourer le tourbillon de sensations exquises qui l'emportaient dans un autre monde, une autre réalité. Impossible de se souvenir pourquoi elle avait tant lutté pour ne pas le laisser s'approcher d'elle. Oui, elle se rappelait vaguement s'être promis de ne plus le toucher… mais pourquoi, quand un simple baiser pouvait lui donner tant de bonheur. La Taylor aventureuse et libre qu'elle avait été un jour reprenait le dessus, et elle ne savait plus si c'était bien ou mal…

« Tu ferais mieux de t'enfuir » songea-t-elle presque mécaniquement avant de l'attirer encore plus près d'elle, jusqu'à sentir son sexe dur dressé contre son ventre.

Avec passion, elle lui caressa frénétiquement les cheveux, la nuque, le dos. Dans un semi-brouillard, elle le vit retirer ses gants, sans doute dans l'intention de poser ses mains nues sur elle. Mais, juste au moment où elle fermait les yeux dans l'attente de sa caresse, elle l'entendit jurer entre ses dents.

— Ecoute, Taylor… Nous ne sommes pas à Cozumel, mais dans un parking où il fait un froid de loup. Nous ne pourrons rien faire ici, regretta-t-il en se détachant d'elle. Je pense que tu devrais rentrer chez toi, maintenant. Nous finirons nos petites affaires plus tard.

Ses mots, ainsi que la morsure du froid qu'elle sentit vivement tout à coup, maintenant que le corps de Dev ne la réchauffait plus, la ramenèrent brutalement à la réalité.

D'une main tremblante, elle se retourna, glissa sa clé dans la serrure de la portière et lâcha d'une voix mal assurée.

— Nous n'avons aucune « affaire » à terminer, Dev.

Elle s'engouffra en hâte dans sa voiture, mais Dev retint son bras quelques secondes avant qu'elle puisse refermer sa portière.

— Oh si ! Nous en avons une. Et tu le sais très bien, ajouta-t-il en la fixant droit dans les yeux. Si ce n'était pas le cas, tu serais partie depuis longtemps.

Elle ouvrit la bouche pour répliquer, mais aucun son n'en sortit.

De toute façon, qu'aurait-elle bien pu répondre ?

Evitant le regard pénétrant de Dev, elle mit le moteur en marche et démarra, le cœur battant.

10.

— Très bien. Rappelle-moi simplement ce qui t'empêche de lui sauter dans les bras ? demanda Jody, perplexe, tandis qu'elles prenaient place dans la file d'attente du cinéma.

— Pour commencer, il m'a menti, déclara fermement Taylor.

— Pas exactement, corrigea Jody après avoir demandé deux places au caissier. Disons qu'il a passé certaines informations sous silence.

— Oui. Cela s'appelle mentir par omission.

— Je ne suis pas d'accord. Vous aviez convenu de ne pas *chercher* à vous revoir en rentrant à Baltimore. Ce type ne t'a pas poursuivie : il se trouve qu'il travaille dans le même bâtiment que toi, voilà tout. Mais ce n'est pas de sa faute, que je sache. Et voilà que tu te rends compte qu'il a toujours envie de toi. Qu'y a-t-il de mal à cela ? Surtout qu'il me paraît clair que tu éprouves exactement la même chose à son sujet, quels que soient les efforts que tu fais pour te mentir à toi-même.

Jody se planta devant le comptoir à confiseries.

— Deux sodas et un grand pot de pop-corn, s'il vous plaît.

Quand elle eut payé, elles se dirigèrent vers la salle de projection.

— Ce qui me met en colère, c'est qu'il était parfaitement conscient que nous allions nous revoir. Alors qu'il savait très bien que je ne le voulais pas, reprit Taylor en parcourant du regard la salle à moitié vide avant de se diriger vers la rangée centrale. Je n'aurais jamais accepté d'avoir une aventure avec lui si j'avais été au courant dès le début.

— Ecoute, tu ne peux pas lui reprocher de ne pas avoir lu dans tes pensées, remarqua Jody en s'asseyant.

— La question n'est pas là. Je n'avais pas l'intention de le revoir, un point c'est tout.

Et encore moins de l'embrasser passionnément deux fois en l'espace d'une semaine, songea-t-elle en se mordant la lèvre.

— Que voulais-tu qu'il fasse ? l'interrogea Jody avec une pointe d'irritation. Qu'il embauche à ses frais une autre équipe pour faire les travaux afin de t'épargner sa présence ?

— Non, reconnut-elle. Mais il pourrait au moins essayer de se faire le plus discret possible. Je ne sais pas, venir moins souvent à l'agence, pour commencer…

— Mais enfin, il *travaille* dans ton agence ! s'exclama Jody. Le pauvre gars ne peut pas faire autrement. Tu n'as qu'à l'ignorer, et la question sera réglée une fois pour toutes !

Taylor avala une poignée de pop-corn d'un air songeur.

— Essaie donc d'ignorer la présence d'un homme avec qui tu viens de faire l'amour plusieurs fois par jour pendant une semaine… Désolée, mais je ne suis pas une sainte !

— Mais alors où est le problème ? Il n'est pas si bon au lit que ça ?

— Si, c'est un amant merveilleux, dut-elle admettre en pensant au plaisir presque irréel qu'elle avait pris dans ses bras.

— Je ne te comprends pas, ma belle, soupira Jody. Cet homme est d'une beauté à tomber raide, c'est un amant hors pair, il te court après depuis quinze jours… Et toi, malgré ton attirance pour lui, tu persistes à le rejeter ?

— C'est juste que…

Taylor s'interrompit, hésitante.

— Que quoi ? insista sans pitié son amie.

— Je ne veux pas commettre une nouvelle erreur, lâcha-t-elle en sentant son cœur se serrer.

Jody la fixa droit dans les yeux.

— Une erreur du genre Bennett, c'est ça ?

— C'est ça.

— Je vois. C'est vrai que les points communs sont flagrants ! Bennett t'a défendu de porter un Bikini pendant votre lune de miel. Après quelques semaines de mariage, il ne te faisait plus l'amour. Et il était d'une jalousie maladive. Ton Dev a l'air de correspondre en tout point à ce signalement, conclut-elle d'un ton ironique.

— Arrête… Je sais que tu as raison. Mais même si leurs personnalités sont très différentes, je ne veux pas m'engager dans une nouvelle relation avec quelqu'un que je connais à peine, comme je l'ai fait avec Bennett.

L'expression de Jody s'adoucit. Elle lui fit une petite caresse amicale sur le bras.

— Je ne voulais pas te brusquer, tu sais. Et puis, qu'est-ce que j'en sais, moi ? Je ne l'ai même jamais rencontré, ce type… Suis ton instinct. S'il te dit que ce Dev est un salaud en puissance, fuis-le comme la peste.

— Dev n'est pas un salaud, répliqua-t-elle du tac au tac.

— Qu'en sais-tu ? Votre séjour au Mexique n'avait rien à voir avec la vraie vie, c'est toi-même qui me l'as dit. Si tu penses qu'en réalité c'est un minable, ne t'approche pas de lui.

— Mais je ne pense pas que…

Elle s'interrompit, consciente que la volte-face de son amie cachait quelque chose.

— Où est-ce que tu veux en venir, Jod ?

— Moi ? demanda-t-elle en ouvrant de grands yeux innocents. Mais nulle part. Si tu veux le détester, je serai solidaire de ton point de vue.

Taylor était sur le point de répliquer, mais Jody lui fit signe de se taire.

— Chut… Le film commence.

Assis derrière son bureau, Dev examinait les comptes rendus d'avancement des travaux remis la veille par ses différents ouvriers.

Les dégâts causés par la rupture de canalisation réparés une bonne fois pour toutes, il ne leur restait plus qu'à faire les peintures, finaliser l'installation électrique et poser la moquette. Avec un peu de chance — et surtout beaucoup d'heures supplémentaires — le chantier de l'agence de voyages serait fini dans moins d'une semaine.

Malheureusement, venir à bout de la résistance de Taylor risquait de prendre beaucoup plus de temps…

Pianotant nerveusement sur son bureau, il dut se rendre à l'évidence : au Mexique, l'idée de n'avoir qu'une semaine à passer en sa compagnie ne lui était pas insupportable. Mais, pour être honnête, il savait alors qu'il la reverrait dès leur retour à Baltimore… Cette fois, la situation était très différente : une fois les travaux achevés, il n'aurait plus de moyens de la rencontrer. Et cette perspective l'affolait. Pourquoi ? Mieux valait ne pas trop s'interroger là-dessus. Une chose, pourtant, était sûre : il n'était pas prêt à renoncer à elle.

L'idéal serait de réussir à la convaincre de se laisser aller. Leur liaison fonctionnait à merveille à Cozumel, alors pourquoi en irait-il autrement à Baltimore ? Difficile de comprendre pourquoi elle s'entêtait ainsi à le repousser. D'autant qu'elle ne paraissait pas — loin de là — insensible à ses baisers, lorsqu'il parvenait enfin à l'approcher… Le souvenir de leur étreinte de la veille le précipita sur-le-champ dans un état second que seule Taylor suscitait en lui. La simple idée de la tenir dans ses bras, de poser ses lèvres sur les siennes, de caresser sa peau soyeuse et parfumée, le mit quasiment en transe.

Non, décidément, il ne s'avouerait pas vaincu. Il n'y avait aucune raison pour qu'ils ne puissent pas poursuivre leur délicieuse aventure ici. En somme, il ne restait plus qu'à en persuader Taylor… Et quelque chose lui disait que, malgré ses protestations et sa froideur, elle éprouvait exactement la même chose que lui. L'aurait-elle embrassé avec tant de fougue hier soir si elle n'avait pas ressenti un désir plus fort que toutes ses bonnes résolutions ? La manière dont elle avait littéralement fondu dans ses bras ne trompait pas.

Interrompant ses rêveries, Riley fit son apparition en se frottant les mains.

— Bon sang, il fait un froid de canard dehors !

— Oui, c'est normal : ça s'appelle l'hiver, répliqua Dev avec ironie.

— N'empêche qu'il existe des endroits sur terre — et même dans ce pays — où le soleil brille en hiver, se lamenta Riley en s'asseyant. Rappelle-moi pourquoi nous ne partons pas travailler en Floride, déjà ?

— Peut-être parce que nous avons encore un an et demi de commandes devant nous… A commencer par les travaux de l'agence DeWitt, je te signale.

— Ah oui, la charmante mademoiselle DeWitt… Au fait, est-ce que tu as téléphoné à Melissa depuis ton retour ?

Dev sentit son sang se figer sous le coup de la colère. Il n'allait tout de même pas recommencer à le harceler avec sa cousine… Melissa appartenait désormais à son passé. Pourquoi Riley refusait-il de l'admettre ?

— Non. Et je ne vois pas pourquoi je le ferai.

Riley poussa un profond soupir.

— Elle voudrait vraiment avoir une chance de s'expliquer, tu sais…

— Il n'y a rien à expliquer. Je te rappelle encore une fois, au cas bien improbable où tu l'aurais oublié, que je l'ai trouvé à demi nue dans les bras d'un autre homme. Un tel acte se passe d'explication, non ?

— Ecoute, c'était à une soirée particulièrement arrosée, si je me souviens bien… Ça ne t'arrive jamais de faire une bêtise quand tu as trop bu ?

Furieux, Dev se leva d'un bond.

— Tu appelles ça une bêtise ? Nous allions nous marier moins d'une semaine plus tard, nom d'un chien !

Riley baissa la tête et se contenta de marmonner :

— D'accord, d'accord…

Dev se planta devant lui.

— Alors arrête de me parler de Melissa ? C'est fini entre nous, un point c'est tout.

Taylor faillit battre des mains comme une petite fille lorsqu'elle regagna son bureau en cette fin d'après-midi.

Dans le courant de la matinée, elle avait appris, à son grand dépit, que les travaux ne pourraient être achevés comme prévu en ce vendredi, en dépit des promesses de Dev. Après plusieurs rendez-vous à l'extérieur, elle venait de rentrer pour découvrir pourtant que son bureau, lui, était fin prêt. Et qu'il lui plaisait encore davantage qu'avant. Etait-ce le choix de Dev ? A la place du blanc tout bête de ses anciens murs, une délicate déclinaison de rose pâle conférait à la pièce une ambiance plus douce, plus chaleureuse.

Tout à la joie de sa découverte — comme c'était bon de penser qu'elle n'aurait plus à travailler entre quatre murs de béton brut ! — elle mit un peu de temps à réaliser que le téléphone sonnait.

— DeWitt Voyages, Taylor à l'appareil, que puis-je faire pour vous ? demanda-t-elle en se perchant sur un coin de son bureau.

— Mademoiselle DeWitt ? Léonard Preston, P.-D.G. de Pace-Miller à l'appareil. J'espère que je ne vous dérange pas.

Taylor eut toutes les peines du monde à ne pas paniquer. Aurait-il déjà pris une décision concernant leur projet ? En général, une entreprise de cette envergure prenait son temps pour conclure un marché. Une telle rapidité n'était pas de très bon augure…

— Pas le moins du monde, monsieur, répondit-elle en s'efforçant de parler d'une voix posée. Je suis ravie de votre appel.

— Merci, mademoiselle. Voilà, je dois vous dire que votre présentation de mercredi nous a paru très convaincante, à mes associés et à moi-même.

— J'en suis très heureuse, monsieur.

— Voilà pourquoi nous avons décidé d'accepter votre proposition. A partir de la semaine prochaine, votre agence de voyages prendra en charge l'organisation de tous les séminaires de notre société, selon les termes de l'accord prévu.

Taylor en resta sans voix l'espace de quelques secondes.

— Naturellement, il nous reste quelques détails à finaliser, poursuivit son interlocuteur. Mais, dans l'ensemble, je crois que nous avons fait le tour de la question lors de notre dernière entrevue. Pourriez-vous demander à votre secrétaire de nous faire parvenir les contrats à signer ?

— Avec grand plaisir, monsieur, réussit-elle enfin à articuler. Je ne saurais vous dire à quel point je suis heureuse de la décision que vous avez prise. Vous n'aurez pas à le regretter.

— J'en suis certain, mademoiselle.

Après avoir raccroché, Taylor se laissa tomber dans son fauteuil, le cœur battant. Depuis trois ans, elle cherchait en vain à obtenir une clientèle d'affaires, et Pace-Miller était tout simplement la plus grosse entreprise de la ville. La signature de ce contrat représentait une opportunité énorme pour une petite structure comme la sienne... Seigneur, elle ne parvenait pas à y croire ! C'était plus qu'une bonne nouvelle, c'était... un véritable miracle !

Sentant un immense sourire lui monter aux lèvres, elle décrocha de nouveau le téléphone, et s'empressa d'appeler Allie et Nicole pour leur communiquer sa joie.

Lorsqu'il revint à l'agence en ce début de soirée, une pile d'instruments de mesure sous le bras, Dev remarqua avant toute chose la lumière qui provenait du bureau de Taylor.

Ainsi, elle était toujours en train de travailler à une heure pareille un vendredi soir, songea-t-il avec admiration.

Prêtant l'oreille, il s'approcha doucement de la porte de son bureau et constata qu'elle était au téléphone. Toute à sa conversation, elle ne remarqua pas sa présence.

— Jody, ma chérie, c'est le soir ou jamais pour faire la fête ! Figure-toi que je viens de décrocher un contrat avec Pace-Miller... Oui, ce Pace-Miller là. Tu te rends compte ? Alors, ce soir, c'est moi qui invite : cocktails à gogo et dîner chez Mama Sophia, d'accord ?

Il y eut un silence, puis la voix de Taylor se fit de nouveau entendre, un peu moins enthousiaste.

— Non, je comprends très bien... Arrête, il n'est pas question que tu décommandes au dernier moment un dîner avec un charmant jeune homme pour passer la soirée avec moi ! Je te défends de passer à côté d'une belle occasion ! Ne t'inquiète pas, j'ai d'autres amis. On fêtera la bonne nouvelle un autre soir, dans le courant du week-end. Oui. Ne t'inquiète pas. Je t'appelle demain. Passe une bonne soirée... et une bonne nuit !

Il comprit qu'elle avait raccroché en l'entendant pousser un long soupir de déception et lâcher :

— Pas de chance… Je ne vais quand même pas fêter ça toute seule !

Dev comprit sur-le-champ le parti qu'il pourrait tirer d'une telle situation. Une telle envie de faire la fête et personne pour lui tenir compagnie ? « Du moins, c'est ce qu'elle croit » songea-t-il en souriant. Il compta mentalement jusqu'à dix avant d'entrer dans son champ de vision. Puis il frappa à la porte vitrée :

— Tu as une minute ?

Lorsqu'elle leva sur lui ses grands yeux bruns si séduisants, il fut envahi par une telle onde de désir qu'il se retint juste à temps de proposer : « Tu ne veux pas passer les deux semaines qui viennent dans un lit avec moi ? »

Se ravisant à temps — il ne devait pas se montrer trop direct pour l'instant s'il voulait que son plan fonctionne — il attendit qu'elle réponde.

— Qu'est-ce que tu fais ici un vendredi soir ? demanda-t-elle, visiblement surprise par sa présence.

Il haussa les épaules.

— J'ai du travail. Comme tu l'as constaté, nous avons encore pris un peu de retard, et j'aimerais finir ce chantier au plus vite. Mais tu n'as pas besoin d'être là, tu sais. Je peux fermer l'agence moi-même.

— Non, j'ai aussi des dossiers à finir. Maintenant, je commence à comprendre pourquoi je n'avais pas pris de vacances depuis une éternité : quand on revient, rien n'a avancé.

— Je ne te le fais pas dire, acquiesça-t-il. Même si, parfois, les vacances en valent la peine…

— Oui, parfois, reconnut-elle en le regardant bien en face.

L'espace d'un instant, il crut percevoir une certaine complicité dans ses yeux. Mais, très vite, elle reprit ses esprits.

— Bon, je ne veux pas te retenir, dit-elle précipitamment.

Dev se résigna à quitter la pièce.

— Je vais me mettre au travail, annonça-t-il en tournant les talons.

Mais, juste avant de franchir la porte, il jeta un coup d'œil par-dessus son épaule, et surprit Taylor en train de l'observer. Il croisa son regard l'espace d'une seconde, juste avant qu'elle ne baisse la tête en hâte sur le livre de comptes posé sur son bureau en rougissant légèrement.

« Très intéressant » se réjouit Dev en souriant. Puis il s'éloigna en sifflotant.

Taylor, une liasse de documents à la main, se leva pour aller consulter son fichier clientèle, qui, faute de place dans son propre bureau, avait été réinstallé à son emplacement habituel à la réception de l'agence, au milieu des pots de peinture qui s'y entassaient encore.

« Bon sang, ces maudits travaux ne finiront donc jamais ! » se lamenta-t-elle intérieurement, juste au moment où elle se trouva nez à nez avec une immense échelle, posée contre le mur extérieur de son bureau.

— Attention ! prévint Dev, perché tout en haut de l'échelle.

— Qu'est-ce que c'est que ça encore ? soupira-t-elle en luttant pour ignorer les fesses musclées de Dev qui se trouvaient presque à hauteur de ses yeux.

— C'est le système de sécurité anti-incendie. Il faut absolument le réviser avant de terminer les travaux, ou il risque de se mettre en marche sans raison et de nous offrir un déluge digne des orages de Cozumel, expliqua-t-il.

Immédiatement, elle se revit dans les bras de Dev, sous l'une de ces averses tropicales dont Cozumel était familière... Et elle comprit aussitôt que la comparaison qu'il venait d'établir n'avait rien d'innocent. Décidément, il faisait tout pour lui remettre sans cesse à la mémoire ce qu'ils avaient vécu... Comme si ce n'était pas déjà assez difficile à oublier !

— Pourquoi le désactiver pour l'instant ?

— C'est une procédure assez longue, et je risquerai d'y passer la soirée. Or j'ai bien l'intention de faire une pause pour dîner avant de finir sa révision.

Ignorant délibérément son allusion à l'heure du dîner, elle se concentra sur l'aspect professionnel de la situation.

— Sais-tu quand les travaux seront réellement achevés ?

— Pas vraiment, admit-il. Ça ne devrait plus prendre très longtemps, désormais.

— J'estime que j'ai le droit d'avoir une idée plus précise des délais, nota-t-elle avec irritation. Le retard est déjà plus important que prévu, et...

— Je te signale que plus nous restons à parler ici, plus je perds de temps, coupa Dev d'un ton malicieux.

Taylor ouvrit la bouche pour protester, mais Dev fut le plus rapide.

— Ecoute, je meurs de faim et j'ai bien l'intention d'aller dîner tout de suite. Je ne vois pas comment je peux finir ce que j'ai à faire ce soir en travaillant le ventre vide. Si tu veux avoir une idée plus précise de l'avancement des travaux, viens dîner avec moi. Sinon, tu devras attendre pour obtenir des détails.

Taylor comprit un peu tard qu'elle venait de se faire prendre au piège.

— Il n'en est pas question, décréta-t-elle fermement.

— Comme tu veux, répliqua Dev en commençant à descendre de l'échelle. Moi, je pars manger de délicieux crabes farcis. Si tu préfères rester ici toute la soirée, à ta guise. Mais tu ne sauras rien des progrès du chantier.

— Tu n'es pas sérieux ? s'indigna Taylor.

— Oh, si ! Je viens de travailler douze heures d'affilée, et il faut bien que je m'alimente. Si tu veux discuter des travaux, viens avec moi.

L'estomac de Taylor, à sa grande fureur, laissa entendre un léger gargouillis. Le fait est qu'elle n'avait rien avalé non plus de la journée…

Dev lui décocha un grand sourire.

— Allez, je ne vais pas te manger. Je n'en ai que pour les crabes farcis, ne t'inquiète pas. Je t'expliquerai ce qui nous reste à faire ici et toi, tu me raconteras ta journée.

— Pourquoi ça ? s'enquit-elle avec une pointe de méfiance.

— Et pourquoi pas ? demanda-t-il d'un air innocent.

11.

Lorsqu'ils descendirent de voiture, Taylor ne put s'empêcher de froncer les sourcils. L'endroit ressemblait davantage à un bar à l'ancienne qu'à un restaurant.

— Je te rappelle que j'ai accepté de manger quelque chose, pas de boire un verre, l'avertit-elle d'un ton sec.

— Du calme, mademoiselle DeWitt, se moqua Dev. Chez Léon n'a rien d'un bar à la mode. C'est simplement un petit établissement de quartier, l'un des seuls endroits où je peux venir manger avec mes vêtements de travail. Si tu préfères un restaurant plus chic, il va falloir que tu me laisses repasser chez moi pour me changer.

— Je me fiche de l'endroit où nous allons, Dev. Je te signale simplement que ceci n'est pas un rendez-vous, juste une réunion professionnelle.

— Si tu le dis…, répliqua-t-il dans un sourire.

Une fois passée la porte, Taylor comprit ce que Dev avait voulu dire. L'endroit n'avait rien d'un bar ni d'un restaurant. A mi-chemin entre le pub et la taverne, Chez Léon était en tout cas un endroit très chaleureux, avec ses murs de bois et son comptoir en cuivre rutilant. L'ambiance traditionnelle du vendredi soir, avec ses clients plus nombreux et plus joyeux à l'approche du week-end, ajoutait au charme du lieu. Tout comme le faisait la musique jazzy qui s'élevait d'un authentique juke-box installé au fond de la salle.

Depuis combien de temps n'était-elle pas sortie un vendredi soir avec un homme ? Bien sûr, ce dîner avec Dev n'avait rien à voir avec une sortie en amoureux. Il s'agissait simplement de savoir avec exactitude quand elle pourrait enfin rouvrir les portes de son agence au public.

— Où préfères-tu t'installer ? A une table ou au bar ?

— Au bar, répondit-elle instinctivement.

Mieux valait, en effet, éviter de se retrouver en tête à tête avec Dev autour d'une de ces petites tables à peine éclairées par une bougie... Perchée sur un tabouret dans la vive lumière du bar, elle se sentirait plus à son aise.

Mais quand Dev l'entraîna tout au bout du comptoir, dans un coin reculé de la pièce à la lumière tamisée, elle comprit son erreur. A table, ils auraient au moins été placés face à face, et non côte à côte, si proches qu'ils se touchaient presque...

Lorsqu'un barman eut pris leur commande, Taylor se décida à interroger Dev sur un ton détaché. Si elle gardait l'initiative de la conversation, celle-ci risquait moins de dériver vers des sujets à risque...

— Tu viens souvent ici ?

— De temps en temps, quand je n'ai pas le courage de faire la cuisine. J'aime cet endroit. Et j'aime dîner seul. Un peu de solitude et de silence fait beaucoup de bien de temps en temps.

Taylor apprécia sa remarque, qui reflétait parfaitement sa vision de l'existence.

— Si tu aimes la solitude, pourquoi avais-tu décidé de te marier ?

A peine eut-elle posé la question qu'elle se rendit compte qu'en fait de sujet à risque, celui-ci en était un, et de taille ! Qu'est-ce qui lui avait pris de poser une question pareille ?

Dev haussa les épaules.

— Je ne pense pas que le mariage ou le fait de vivre ensemble doivent priver de temps et d'espace chacune des personnes. En tout cas, ça ne devrait pas.

— Tu crois vraiment que c'est possible ?

— Oui. Du moins si la personne qu'on épouse a la même conception de la vie commune. A mon avis, si l'on parvient à passer du temps au côté de quelqu'un sans parler et à se sentir à l'aise, c'est très bon signe.

Il y eut un silence, durant lequel Taylor médita les paroles de Dev. Dire que Bennett, lui, passait son temps à la questionner sans répit, pour recueillir le moindre détail sur les activités qu'elle pratiquait sans lui…

« Bon, il faut absolument que je cesse d'amener sur le tapis des sujets trop personnels », s'affola-t-elle soudain en se rendant compte que le silence se prolongeait.

— Alors, peux-tu m'en dire un peu plus sur l'état d'avancement des travaux ? demanda-t-elle après avoir bu une gorgée de sa bière blonde.

— Pas si vite, intervint Dev en la fixant. Raconte-moi d'abord ta journée.

— Pourquoi ?

— Parce que j'aime t'entendre parler, se contenta-t-il de répondre d'un air énigmatique.

— Je te préviens, diriger une agence de voyages n'a rien de particulièrement passionnant…

— Et pourtant, toi ça te passionne, non ? Allez, raconte-moi.

Elle ne put s'empêcher de lui jeter un regard méfiant.

— Attends… Ce n'est pas un stratagème pour me mettre dans ton lit, n'est-ce pas ?

Dev eut un petit rire.

— Je n'utilise jamais de stratagème pour ce genre de choses. Et puis, je sais déjà comment te mettre dans mon lit, tu te souviens ?

Rougissant légèrement, Taylor opta pour le silence.

— D'accord, d'accord, concéda Dev. Revenons à ton travail. Quelle est la meilleure chose qui te soit arrivée aujourd'hui ?

Après un temps d'hésitation, Taylor décida d'être sincère.

— J'ai signé un gros contrat avec un client.

— Tu veux dire que tu lui as vendu un voyage hors de prix ?

— Non. Je veux dire que j'ai conclu un accord avec l'une des plus grosses sociétés de la ville pour organiser tous leurs séminaires d'entreprise.

— Laquelle ?

— Pace-Miller.

Dev laissa échapper un sifflement admiratif.

— En effet, il s'agit d'une excellente nouvelle. Je n'en doutais pas, mais voilà qui me confirme que tu es une sacrée pro…

Taylor ne put retenir un sourire empreint de fierté.

— Oui, c'est une excellente nouvelle. Si tout se passe bien, ce contrat va propulser mon agence sur le devant de la scène. Sans compter les bénéfices que je vais en tirer… Avec un peu de chance, je pourrais même engager de nouveaux employés.

— Toutes mes félicitations, lança Dev en levant son verre pour trinquer avec elle. Je suppose que la concurrence ne devait pourtant pas manquer…

— C'est vrai. Mais j'ai eu la chance d'être au courant très tôt de leur projet d'alliance avec une agence de voyages. Ça m'a donné une longueur d'avance sur les autres, expliqua-t-elle modestement.

— Je vois. Ça se passe à peu près de la même manière dans ma branche. Il faut toujours être à l'affût de nouveaux engagements, et devancer les concurrents.

Taylor ne put s'empêcher de le questionner.

— Et tu aimes ça, la prospection de nouveaux marchés ?

— Plutôt. Il y a quelque chose de très stimulant dans la relation avec la clientèle, surtout quand il faut la convaincre de vous choisir vous et pas un autre.

— C'est un peu le plaisir de la chasse, non ?

Dev lui sourit d'un air indéchiffrable.

— Il y a de ça. Mais ce que je préfère par-dessus tout, c'est quand même manier un marteau.

— Vraiment ? s'étonna-t-elle. Mais alors pourquoi avoir monté une entreprise ?

— Je suppose que j'aime aussi orchestrer un chantier dans son ensemble, le planifier dans ses moindres détails. Même si, parfois, on ne peut pas tout prévoir. Tu sais, je suis désolé du retard qu'ont pris les travaux de ton agence, s'excusa-t-il d'un ton sincère.

— Ne t'en fais pas. Ce n'était pas de ta faute, après tout, si une canalisation s'est rompue. Et quand je pense aux heures supplémentaires que tu as faites toute la semaine, je te suis très reconnaissante.

Le serveur leur apporta leurs plats au moment où Dev allait répondre. Pendant quelques minutes, la conversation retomba, chacun étant trop occuper à savourer l'étonnante cuisine du lieu pour parler. Taylor devait bien reconnaître qu'elle ne s'était pas attendue à manger aussi bien dans une simple taverne. Ses crabes farcis étaient tout simplement divins.

— Alors, finit par demander Dev en la regardant se délecter ouvertement, on apprécie la cuisine de Léon ? Avoue que tu ne pensais pas te régaler autant…

— Eh bien, malgré toute mon ouverture d'esprit, je dois dire que je ne m'attendais pas à un plat digne des plus grands chefs…

— Tu vois que tu devrais me faire davantage confiance, reprit-il malicieusement.

Tout en continuant à déguster son dîner, Taylor vit que Dev la dévisageait avec insistance.

— Quoi ? finit-elle par l'interroger avec indécision. J'ai une tache de sauce sur le menton, c'est ça ?

— Non, pouffa Dev. Mais c'est tellement agréable de te regarder manger que j'en oublie de m'alimenter moi-même. Je n'ai jamais vue une femme manger avec autant de plaisir. En général, elles chipotent du bout de leur fourchette ou elles commandent une salade verte sans vinaigrette parce qu'elles sont au régime.

— C'est normal, expliqua Taylor en riant. C'est un principe chez les femmes : ne jamais laisser un homme constater que vous avez bon appétit. Il pourrait penser que vous allez finir en grosse dondon une fois passés les premiers temps de la relation…

— Et pourtant, toi, tu n'as pas peur de me faire cette impression… Dois-je comprendre que tu ne crains pas pour le futur de notre relation ?

— Disons plutôt que je n'ai rien à craindre dans la mesure où je n'envisage pas qu'il se passe de nouveau quoi que ce soit entre nous, corrigea Taylor en priant pour qu'il ne remarque pas son trouble.

Dev plongea ses yeux dans les siens.

— Faites attention, mademoiselle DeWitt. Je pourrais prendre ce que vous venez de dire pour un défi à relever…

Sous l'intensité de son regard, Taylor eut soudain beaucoup de mal à avaler sa bouchée de crabe. La gorge subitement serrée par un mélange d'appréhension et de désir, elle s'efforça de se calmer en buvant une gorgée de bière fraîche. Depuis le début de la soirée, elle se sentait relativement maîtresse d'elle-même. Mais, plus le temps passait, plus la présence de Dev à côté d'elle la touchait, la bouleversait — et, pour tout dire, l'excitait. Dans la pénombre du pub, ses grands yeux verts braqués sur elle et la proximité affolante de son corps commençaient à entamer sérieusement ses bonnes résolutions.

Soudain, les notes d'une musique très rythmée s'élevèrent du juke-box situé non loin d'eux et qui était resté silencieux depuis le début de leur repas.

Avec un sourire, Taylor reconnut un de ses airs préférés, un de ces airs sur lesquels Jody et elle avaient tant dansé pendant leur séjour à l'université.

— Oh, j'adore cette chanson, dit-elle en battant la mesure du bout des doigts contre le comptoir.

Dev, sans hésiter, descendit de son tabouret et lui prit la main.

— Alors, allons danser.

Taylor balaya le centre de la salle d'un œil incrédule.

— Mais personne ne danse !

— Et alors ? Qu'est-ce que ça change ?

Elle secoua la tête d'un geste résolu. Elle n'allait tout de même pas se donner en spectacle au beau milieu d'un petit restaurant — autant dire un lieu qui n'avait rien d'une boîte de nuit !

— Vraiment, non. Il y a quelques années, je l'aurais peut-être fait… Mais aujourd'hui, j'ai appris à être raisonnable !

Dev désigna son pied qui, malgré elle, continuait à battre la mesure.

— Ne sois pas bête… Tu en meurs d'envie ! Ce n'est pas toi qui m'as récemment dit que tu voulais renouer avec une part de toi-même que tu avais perdu de vue depuis trop longtemps ?

Taylor se sentit rougir.

— Ce n'était pas la même chose. Les circonstances étaient différentes.

— La jeune femme que j'ai rencontrée à Cozumel n'aurait jamais refusé de danser si elle en avait envie, insista Dev d'une voix douce et moqueuse à la fois.

— Mais c'était très différent ! Je ne connaissais personne là-bas…

— Ici non plus ! protesta-t-il. Et puis je t'assure qu'il arrive très souvent que les gens dansent, chez Léon… Viens, Taylor.

Il lui tendit de nouveau la main, et elle sentit sa résolution faiblir.

— Viens, Taylor, répéta-t-il d'un ton chaud. Viens avec moi.

Refusant de réfléchir plus longtemps, elle prit la main qu'il lui offrait et le suivit. « Tant pis, au diable la timidité ! Après tout, ce n'est rien de bien méchant » songea-t-elle en espérant tout de même que les autres clients du pub ne prêteraient pas trop attention à eux.

Dev la conduisit directement au centre de la salle, alors qu'elle se serait plus volontiers tenue un peu en retrait, vers le fond. Encore un peu mal à l'aise, elle se contenta d'abord de claquer des doigts en se déhanchant lentement. Mais, très vite, le rythme endiablé du morceau qu'elle connaissait si bien l'emporta comme il le faisait par le passé. En un rien de temps, elle se prit à danser pour de bon, avec un entrain qui l'étonna elle-même.

L'ancienne Taylor, celle qui se fichait bien du regard d'autrui, celle qui ne pensait qu'à son plaisir et à sa liberté, reprenait possession de son corps. Et c'était une joie sans mélange de la retrouver enfin. Pas plus tard que la semaine dernière, au Mexique, elle avait déjà éprouvé cette sensation de redevenir elle-même. Bien sûr, elle était aussi la Taylor sérieuse et professionnelle capable de convaincre Pace-Miller de lui confier un gros marché. Mais cette facette de sa personnalité, plus légère, plus gaie et plus extravagante n'en était pas moins tout aussi réelle… D'une certaine façon, elle éprouvait la sensation de rentrer chez elle.

Galvanisée par la musique et la danse, elle ne pensa même pas à s'interrompre quand son morceau préféré prit fin. D'autant qu'un client programma aussitôt une autre chanson tout aussi entraînante… Ravie, elle se remit à onduler en rythme et adressa un grand sourire à Dev, qui ne la quittait pas des yeux.

Ils dansèrent un bon moment face à face, bientôt rejoints par d'autres clients enhardis par leur exemple. Puis, sans prévenir, au moment où retentissaient les premières mesures d'un morceau de rock, Dev lui prit de nouveau la main et l'entraîna dans une série de passes parfaitement maîtrisées. Haletante, elle se laissa guider par ses gestes experts, de plus en plus troublée par les frottements de son corps contre le sien, par la manière dont il l'attrapait par la taille ou la faisait tourner avec une facilité déconcertante — le tout sans jamais cesser de la dévorer du regard. Oh non, cette danse n'avait plus rien d'innocent, plus rien d'un plaisir sans arrière-pensée qu'ils auraient pris ensemble pour s'amuser…

Frémissante, Taylor se retrouva prisonnière des bras puissants de Dev au moment où le morceau prit fin. Les yeux dans les yeux, ils restèrent immobiles, le souffle court, jusqu'au début de la chanson suivante — un slow. Taylor crut entendre une alarme se déclencher dans sa tête quand il l'attira vers lui avec lenteur. Hypnotisée par les lèvres pulpeuses qui s'approchaient doucement des siennes, elle sentit ses jambes flageoler et son cœur battre à tout rompre. Non, il ne fallait pas ! songea-t-elle avec affolement. Et pourtant, ce n'était pas l'envie qui lui manquait…

Dans un sursaut de volonté, elle s'écarta de lui et articula avec difficulté :

— Retournons nous asseoir. Notre dîner va refroidir.

Le temps de regagner le bar lui donna l'occasion de reprendre un petit peu ses esprits.

— Tu danses très bien, glissa Dev en se rasseyant.

— Toi aussi, répondit-elle en buvant une longue gorgée de bière dans l'espoir de se rafraîchir un peu. C'était très amusant. Merci de m'avoir convaincue de le faire. Je n'avais pas dansé comme ça depuis des années.

— Tout le plaisir était pour moi…

En tout cas, une chose était sûre : elle ne pourrait plus avaler la moindre bouchée. Elle repoussa son assiette, consciente du regard de Dev qui pesait sur chacun de ses gestes.

— Tu n'as plus faim ? remarqua-t-il. Un déjeuner d'affaires à midi, peut-être ?

— Non, je déjeune rarement à midi. C'est une mauvaise habitude que j'ai prise depuis que j'ai fondé ma propre entreprise.

— Pourtant, à Cozumel, tu appréciais beaucoup le buffet exotique à midi…

— A Cozumel, c'était différent, souffla-t-elle en tournant la tête de l'autre côté du bar pour ne pas croiser son regard.

Elle tressaillit en sentant Dev la prendre doucement par le menton pour l'obliger à lui faire face.

— Pourquoi ? demanda-t-il d'une voix chaude, qui disait assez que sa question portait sur tout autre chose que la nourriture.

— Je… Je ne suis plus la même personne, voilà tout, bredouilla-t-elle.

Dev secoua la tête.

— Je n'en crois rien. Différents aspects, parfois très éloignés, peuvent coexister dans une même personnalité. C'est d'ailleurs ce qui en fait toute la richesse. On peut très bien décrocher un gros contrat dans la journée et passer toute la soirée à danser… Je ne vois pas où est le problème.

— Je n'ai dansé que parce que tu as insisté, protesta-t-elle. Je ne l'aurais jamais fait toute seule.

— Tu ne l'aurais surtout pas fait si tu n'en avais pas vraiment eu envie, rectifia-t-il. Pourquoi t'en vouloir d'avoir suivi ton instinct ? Pourquoi t'en vouloir d'avoir fait ce que tu voulais ?

Les prunelles vertes de Dev semblaient fouiller son visage à la recherche d'une réponse. Soudain sans voix, Taylor se laissa happer par ce regard et par toute l'intensité qu'il exprimait.

— Pourquoi les deux Taylor ne peuvent-elles cohabiter pacifiquement ?

— Les choses ne sont pas si simples, murmura-t-elle, à demi vaincue.

« En réalité, tu n'es simplement pas assez courageuse » pensa-t-elle avec un pincement au cœur.

— Je sais que tu es assez courageuse pour réussir à assumer ce que tu es, poursuivit Dev comme s'il lisait dans ses pensées.

Puis il lui prit la main avec une infinie douceur, et elle se sentit fondre, littéralement. Une onde de chaleur se propagea dans tout son corps, impérieuse, irrépressible. La vérité était pourtant simple : ce qu'elle voulait réellement, plus encore que de parvenir à se réconcilier avec elle-même, c'était cet homme. Dev Carson.

— Moi, je sais que tu es la même personne qu'à Cozumel, chuchota-t-il en se penchant vers elle. Et que, moi non plus, je n'ai pas changé. J'ai toujours autant envie de toi.

Ces mots lui firent l'effet d'une décharge électrique. Le souffle coupé par le désir qui la submergeait, elle fut incapable de répondre. La violence de ce désir emportait tout sur son passage.

Dev parut comprendre ce qu'elle ne parvenait pas à lui dire.

— Suis-moi, ma belle. Partons d'ici et allons chez moi. Laisse-moi te faire l'amour, souffla-t-il en glissant une main dans ses cheveux et en l'embrassant.

Les tempes bourdonnantes, Taylor s'abandonna au tourbillon de sensations exquises qui l'enveloppait. Pour rien au monde elle n'aurait pu dire non à Dev.

*
* *

Désormais, il n'était plus question de l'ancienne Taylor ou de la nouvelle. Il n'était plus question de s'interroger sur sa véritable personnalité. Ni même sur ses envies.

Pour une raison bien simple : la seule chose qui comptait en cet instant, c'était son désir pour Dev.

Tout le long du chemin qui menait chez lui, elle se lova contre lui, déposa des traînées de baisers dans son cou pendant qu'il conduisait. Dévorée d'impatience, elle se sentait dans un autre monde, sur une autre planète.

Lorsqu'ils s'arrêtèrent enfin devant un portail de bois, Taylor, en dépit de l'état presque irréel où elle se trouvait, ne put s'empêcher de remarquer avec étonnement que la maison de Dev n'avait rien d'une habitation classique. De style victorien, haute et imposante, la maison ressemblait davantage à un manoir anglais qu'aux pavillons qu'on voyait habituellement dans les quartiers résidentiels comme celui-ci.

Sans dire un mot, Dev lui prit la main et l'entraîna à l'intérieur. Dès qu'il eut refermé la porte, il se jeta sur elle avec une fougue qui la fit chavirer. D'un commun accord qui n'avait pas besoin d'être énoncé, ils éprouvaient l'impérieuse nécessité de s'étreindre presque sauvagement. L'urgence de leur désir ne laissait pas de place à la douceur ou à la délicatesse.

Taylor sentit la bouche de Dev ravir la sienne avec passion, tandis que ses mains prenaient possession de son corps : fesses, hanches, poitrine… il lui semblait que les paumes de Dev étaient partout à la fois. Leurs langues engagèrent une lutte enfiévrée tandis que Dev ôtait à la hâte son blouson de cuir et sa chemise. Taylor, gémissante, se pressait contre lui avec volupté. Ce n'était pourtant pas la première fois qu'ils faisaient l'amour… Mais ce qu'elle éprouvait en cette minute, elle ne l'avait encore jamais éprouvé. Jamais une telle lave de désir n'avait couru dans ses veines ; jamais son cœur ne s'était ainsi emballé sous la simple caresse des doigts d'un homme.

Ses soupirs se muèrent en gémissements lorsque Dev entreprit de la déshabiller. D'une main experte, il la débarrassa de sa veste de tailleur et de sa blouse, avant de s'arrêter un instant pour contempler son buste à demi nu, simplement couvert d'un fin soutien-gorge de dentelle mauve. Un frisson brûlant la parcourut tout entière. Ce regard, mon Dieu, ce regard… Dev lui avait tant manqué ! Comment avait-elle pu le repousser pendant presque toute une semaine, quand son attirance pour lui était à ce point violente ? Son ivresse charnelle prit le pas sur toutes les questions qu'elle aurait pu se poser. Tombant à genoux, elle défit la fermeture Eclair de son jean et libéra son sexe, dressé avec une puissance qui lui arracha un nouveau gémissement. Ses lèvres se refermèrent sur le membre viril, dont elle agaça la pointe avec la langue.

Dev laissa échapper un grognement et la releva aussitôt pour murmurer au creux de son oreille :

— Laisse-moi te prendre tout de suite. Viens, montons, ajouta-t-il en l'entraînant vers l'escalier qui conduisait au premier étage.

— Non, lâcha-t-elle d'une voix qu'elle ne reconnut pas. Ici. Maintenant.

Les sens en feu, Taylor s'allongea sur les marches de l'escalier couvert d'un tapis de velours rouge, les jambes légèrement écartées, la jupe relevée, la tête renversée en arrière.

Elle vit la mâchoire de Dev se crisper sous l'effet de l'excitation.

— Ici, gronda-t-il en se laissant tomber devant elle.

Il baissa sa culotte d'une main fébrile avant de la lui ôter tout à fait. Puis, sans attendre, il la pénétra brusquement. Empoignant ses hanches, il commença à aller et venir en elle.

Taylor sentit des ondes de volupté pure lui parcourir tout le corps.

— Plus vite, plus fort, cria-t-elle en lui plantant ses ongles dans le dos.

Dev accéléra le rythme de sa pénétration, les yeux rivés aux siens, la transportant dans un monde où jamais elle n'aurait cru possible d'aller. Des bribes de mots s'échappèrent de ses lèvres tandis que la jouissance montait en elle avec une intensité inouïe. Une sorte de sanglot s'empara d'elle, se propageant dans tout son corps pendant qu'elle s'arc-boutait sous lui pour mieux l'accueillir au plus profond d'elle-même. Une boule d'extase se forma au creux de son ventre, puis explosa tout à coup, la laissant en proie à des spasmes délicieux qui la firent chavirer. Au moment de l'orgasme, elle cria son nom de toutes ses forces. Et, bouleversée, elle sentit la chaude semence de Dev se répandre en elle comme une coulée de lave.

Ce fut la lumière du soleil filtrant à travers les rideaux qui la réveilla. Son premier réflexe fut de penser que, Dieu merci, on était samedi — ce qui signifiait qu'elle n'était pas censée se précipiter à l'agence. Puis, aussitôt, la mémoire lui revint.

« Seigneur, qu'est-ce que j'ai fait ? » s'affola-t-elle en se souvenant de la nuit qu'ils venaient de passer ensemble — enfin, si l'on pouvait appeler ça une nuit… A vrai dire, ils avaient à peine dormi. Leurs retrouvailles ne leur en avaient pas laissé le temps. Tout au plus avaient-ils fait quelques sommes entre deux étreintes passionnées. Mais, dans une telle situation, comment faire autrement ? Absorbés l'un par l'autre, dévorés par un désir qui semblait impossible à assouvir, ils avaient fait l'amour, encore et encore.

Dev reposait maintenant à côté d'elle, profondément endormi, son magnifique corps nu à peine couvert par un morceau de drap. Taylor laissa son regard vagabonder sur les muscles de ses bras, de son ventre et de ses cuisses avant d'observer la chambre dans laquelle ils se trouvaient — une chambre à laquelle elle n'avait pas eu l'occasion de prêter grande attention hier soir, trop obnubilée par Dev et le plaisir intense qu'il lui avait procuré.

Cette chambre, comme la façade de la maison, reflétait clairement le même style victorien. Mais, à y regarder de plus près, toute la décoration ne semblait pas encore achevée. Cette cheminée, par exemple, dont le trumeau manquait… Taylor ne put s'empêcher de sourire : elle reconnaissait bien Dev et sa passion pour les travaux manuels ! A l'évidence, il devait être en train de rénover toute la maison…

« Bon sang, mais qu'est-ce qui me prend de m'attarder sur ce genre de détails ? se reprocha-t-elle aussitôt. La seule chose à faire, c'est de décamper, et vite ! »

Sans attendre, elle entreprit de dégager le bras droit de Dev, qui bloquait son épaule.

— Est-ce que tu peux m'expliquer pourquoi tu essaies de t'enfuir au réveil chaque fois que nous passons la nuit ensemble ? demanda-t-il, la voix encore voilée par le sommeil.

Dev, loin de la laisser partir, la serra plus étroitement contre lui.

— Il faut que je m'en aille. J'ai à faire, mentit-elle.

Elle le vit ouvrir grand les yeux et la fixer avec acuité.

— Ne me dis pas que nous allons devoir avoir encore une fois cette conversation…

— Quelle conversation ?

— Celle où nous finissons par nous avouer mutuellement que nous n'en avons pas fini l'un avec l'autre et que nous devrions continuer à faire l'amour jusqu'à…

— Jusqu'à quand ? l'interrompit-elle. La fin de la semaine ? A t'entendre, on dirait que les choses sont parfaitement simples…

— Et pourquoi ne le seraient-elles pas ? questionna Dev. Nous apprécions chacun la compagnie de l'autre...

Il lui caressa la hanche avec une sensualité qui entama sa conviction.

— Et nous nous donnons beaucoup de plaisir, poursuivit-il. Alors, où est le problème ?

— Le problème, c'est que je ne veux pas m'engager dans quoi que ce soit, affirma-t-elle avec une pointe d'irritation. Je t'apprécie beaucoup, Dev, mais pour rien au monde je ne voudrais me retrouver dans une situation délicate.

Une lueur indéfinissable passa dans ses yeux.

— Qui a dit que les choses devraient devenir délicates, comme tu dis ?

Taylor avala sa salive avec difficulté.

— Ecoute, je te l'ai déjà dit, j'ai été mariée. Jusqu'à mon mariage, tout allait bien entre mon fiancé et moi. Et puis les événements ont mal tourné. Toi-même, tu as failli te marier. Tout allait bien entre ta fiancée et toi, et puis, juste avant la cérémonie, les choses ont mal tourné aussi. Peut-être que ce qu'on appelle une relation n'est pas fait pour nous.

Dev l'observa un moment avant de répondre.

— Tu es du genre pessimiste, hein ?

— Plutôt réaliste, corrigea-t-elle.

— Comme tu veux. Ecoute, ce n'est pas parce que nous faisons l'amour ensemble que cela signifie que nous sommes engagés dans une relation. Tu n'es pas obligée de penser à l'avenir. Pourquoi ne pas te contenter de profiter du présent.

Incertaine, Taylor marqua un temps d'hésitation. Evidemment, il était tentant de le croire... Mais comment s'assurer de sa sincérité ?

— Tu promets que tu ne feras pas de projets d'avenir nous concernant ? demanda-t-elle d'un air grave.

— Je te le promets, soupira Dev.

Puis, devant son air sceptique, il ajouta :

— Ecoute, je te jure de ne pas te demander en mariage, ça te va ?

Perplexe, elle acquiesça. Mais, après tout, il avait l'air honnête…

— Parfait, reprit-il en la prenant dans ses bras. Reprenons à l'endroit où il était question de nous donner beaucoup de plaisir l'un à l'autre, tu veux bien ?

12.

Taylor se tenait au beau milieu de la cuisine de Dev, sidérée par l'ampleur des travaux qui restaient à y accomplir.

— Tu sais, la plupart des gens n'ont pas de scies dans leur cuisine, remarqua-t-elle en passant en revue les « ustensiles » — en fait, des outils de toutes sortes — qui s'alignaient sur le mur.

— Mais ces scies me sont très utiles, protesta Dev.

— En revanche, ils ont des planches à découper, des robots mixeurs, des passoires… Enfin des choses réellement utiles pour cuisiner, poursuivit-elle en examinant le trou béant qui s'ouvrait au beau milieu d'un des murs de la pièce.

— J'aime ne pas faire systématiquement comme tout le monde, plaisanta Dev.

— Bon, sérieusement, quel est ton projet pour cette pièce ? demanda Taylor en se tournant vers lui.

— Eh bien, j'aimerais avoir une très grande cuisine. Celle qui existait d'ailleurs ici avant qu'on ne pose cette cloison ridicule, expliqua-t-il. Là, je pourrai installer le lave-linge et le séchoir, et ici les étagères à vin. Mais il faut d'abord que j'abatte ce mur et que je refasse entièrement le revêtement des murs et du sol…

— Cela risque de te prendre pas mal de temps, non ? Savais-tu que tu devrais accomplir tous ces travaux quand tu t'es installé ici ?

— Oui, acquiesça Dev. Et c'est même pour cette raison que j'ai acheté la maison. Je suis un bâtisseur, tu te souviens ?

— Peut-être, mais à ce point-là..., nota-t-elle d'un air songeur.

— Tu sais, commença Dev en caressant l'une des poutres du mur, cette maison est une sorte de monument historique. C'est même l'une des plus anciennes de la ville. Et j'ai bien l'intention de la restaurer entièrement.

Son sourire plein de fierté émut Taylor plus qu'elle n'aurait su le dire.

— Tu aimes vraiment cet endroit, n'est-ce pas ?

— Oui. Quand on possède une maison comme celle-ci, je ne vois pas comment on pourrait ne pas en tomber amoureux. Ce genre d'endroit a une âme, tu sais...

Il grimaça légèrement avant d'ajouter :

— Enfin, tout le monde n'est pas d'accord avec moi... Melissa, elle, ne pensait qu'à une chose : vendre cette maison et en acheter une toute neuve.

— Je vois, acquiesça-t-elle en admirant les moulures du plafond — des moulures dans une cuisine n'avaient en effet rien de commun !

— Et puis je suis ravi d'avoir à faire toutes ces rénovations, ou plutôt ces restaurations. A commencer par ce mur-là, poursuivit Dev en pointant le gigantesque trou du doigt. C'est très drôle, tu sais, d'abattre une cloison...

— Tu plaisantes ? Ça doit être assez épuisant, non ?

— Pas du tout. C'est surtout un merveilleux défouloir. Tu ne veux pas essayer ? proposa-t-il en ramassant un gros maillet posé dans un coin.

— Pardon ?

— Je t'assure, c'est une expérience inoubliable, insista-t-il en souriant. Franchement, à quand remonte la dernière fois où tu es allée chez quelqu'un et qu'il t'a proposé de faire un trou dans le mur ? Regarde, on s'y prend de cette manière...

Empoignant le maillet à deux mains, il prit son élan et le jeta de toutes ses forces contre la paroi de plâtre. Dans un bruit sourd, un morceau de mur se détacha et tomba par terre, soulevant un petit nuage de poussière blanche.

— A toi, maintenant, dit-il en lui tendant le maillet.

Franchement, elle devait bien reconnaître que cela avait l'air assez amusant...

— Vas-y, donne un bon coup, l'encouragea Dev tandis qu'elle se saisissait du manche de l'outil. N'aie pas peur de frapper aussi fort que tu peux.

Pouffant, Taylor souleva le maillet aussi haut que possible et l'abattit fermement sur la cloison. A sa grande surprise, un autre pan de mur se détacha, plus petit certes, mais tout de même de bonne taille... Et puis, comme le lui avait dit Dev, elle venait de se défouler comme elle ne l'avait pas fait depuis longtemps ! Chassant de la main la poussière blanche qui s'amassait autour de son visage, elle éclata de rire.

— Voilà une activité que je n'avais encore jamais pratiquée au réveil après une nuit torride ! Est-ce que je peux continuer ?

Dev lui lança un regard incrédule.

— Tu es sérieuse ?

— Absolument. Comme tu le dis, ce n'est pas tous les jours qu'on trouve un aussi bon substitut au punching-ball ! Je serais ravie d'apprendre à effectuer des travaux dans une maison... Surtout que dans un cas comme celui-ci, c'est un peu comme d'aider la société historique de la ville !

Dev la dévisagea longuement. Puis un grand sourire illumina son visage.

— Dois-je comprendre que tu acceptes de passer un peu de temps avec moi ce week-end ?

— Dépêche-toi de me donner une tenue de travail plus adéquate avant que je ne change d'avis et que je parte faire les magasins tout l'après-midi, se contenta-t-elle de plaisanter pour masquer l'émotion qu'elle ressentit devant la joie de Dev.

Dans la lumière déclinante de la fin du jour, assise au beau milieu de la cuisine dont le sol était jonché de morceaux de plâtre de toutes dimensions, Taylor but une longue gorgée d'eau pour étancher sa soif avant d'adresser un grand sourire à Dev.

— Qu'y a-t-il ?

— J'étais en train de penser que maintenant je sais de quoi tu auras l'air à soixante-dix ans passés, plaisanta-t-elle en désignant ses cheveux blanchis par la poussière.

— Tu sais, toi non plus tu n'as plus du tout la même apparence que ce matin. Disons que tu es plus... maquillée.

Machinalement, elle se passa la main sur le visage et contempla les dépôts blancs sur le bout de ses doigts.

Dev attrapa un mouchoir et l'imbiba d'eau avant de le lui passer sur les joues.

— Voilà qui est mieux, constata-t-il. Maintenant je retrouve la jolie fille que j'ai ramenée chez moi hier soir...

— Je crois que je ferais peut-être mieux d'aller prendre une douche, déclara-t-elle en se passant la main dans les cheveux. Je ne suis pas sûre que ton démaquillage express suffise.

— Je vois... En fait, tu veux juste te mettre toute nue pour que je te saute dessus, c'est ça ?

Taylor eut un petit rire.

— Ce n'est pas à cela que je pensais. Mais maintenant que tu le proposes...

Elle but une autre gorgée d'eau minérale.

— Je n'aurais jamais cru que détruire les murs d'une maison puisse être aussi amusant, tu sais.

— Evidemment, c'est toujours plus facile et plus drôle que de construire une maison, j'en sais quelque chose ! s'esclaffa Dev.

— Mais tu préfères construire, n'est-ce pas ?

— De très loin. Je trouve qu'on en retire une certaine fierté.

— C'est pour ça que tu as choisi d'exercer ce métier ? demanda-t-elle, soudain curieuse de découvrir comment lui était venue cette vocation.

— Pas vraiment, en fait. A seize ans, j'ai eu besoin de travailler. Je suis passé devant un chantier et j'ai demandé au contremaître s'il n'avait pas une place pour moi. Et puis j'ai continué jusqu'à aujourd'hui.

Ainsi, il avait eu « besoin de travailler » à seize ans, s'étonna Taylor sans oser le montrer. A cet âge-là, en général, on pensait plutôt à préparer le baccalauréat… Mais il était délicat de lui demander pourquoi il s'était retrouvé dans une telle situation. Pour rien au monde elle n'aurait voulu le blesser. Après un temps de réflexion, elle opta pour une voie détournée.

— Mais tu devais avoir déjà du goût pour la construction et la rénovation ? As-tu grandi dans une maison ancienne, comme celle-ci ?

Dev laissa échapper un petit rire ironique.

— Pas vraiment. Même si l'on peut dire qu'elle était aussi dans un drôle d'état. Malheureusement, rien ne pouvait vraiment être réparé, chez nous.

Taylor hésita de nouveau, anxieuse à l'idée de se montrer indiscrète. Mais, cette fois-ci, Dev paraissait désireux d'entrebâiller la porte de son histoire… Avec un peu d'appréhension, elle posa sa question d'une voix douce :

— Dans quel sens emploies-tu le mot « réparé » ?

— Dans tous les sens du terme, répliqua-t-il d'un air songeur. Ma mère est partie quand j'avais huit ans… Un jour, ma sœur et moi sommes rentrés de l'école, et elle avait tout bonnement disparu. Nous ne l'avons jamais revue.

Taylor sentit son cœur se serrer. Seigneur, comme cela avait dû être douloureux pour le petit garçon qu'il était ! Comment une mère pouvait-elle faire une chose pareille ? Certes, sa propre famille était loin d'être parfaite, mais elle avait toujours su qu'elle pouvait compter sur ses parents…

— Mon père ne s'en est jamais remis, poursuivit Dev d'un ton sourd. Il a préféré noyer son chagrin dans l'alcool.

— Et comment va-t-il aujourd'hui ?

— Il est mort. Dans un accident de voiture. Je venais juste d'avoir vingt ans.

— Mon Dieu, Dev je suis désolée, murmura-t-elle en sentant des larmes lui monter aux yeux.

Il eut l'air de sortir d'un mauvais rêve.

— Tout cela appartient désormais au passé.

— Pourquoi penses-tu que ta mère soit partie ?

Il haussa les épaules.

— Difficile à dire. J'en ai longtemps voulu à mon père, parce que je pensais que s'il l'avait aimée assez fort, elle ne l'aurait jamais quitté. Mais je n'en ai jamais parlé avec lui. Et quand j'ai eu l'âge de le faire, il a disparu.

— Et le reste de ta famille ?

— Il n'y pas grand monde à part ma sœur, Mallory. Je pense qu'elle a encore plus souffert, parce qu'elle pensait que c'était de sa faute si notre mère était partie.

— C'est souvent ce que croient les enfants quand leurs parents se séparent.

Il eut un sourire triste.

— Moi, j'étais l'aîné, et j'avais davantage de souvenirs qu'elle. Je n'ai jamais cru que c'était de notre faute, puisque maman était très tendre avec nous. Je pensais vraiment que mon père ne l'avait pas aimée suffisamment… Et c'est sans doute pour ça que j'ai fait tant d'efforts avec Melissa. Chaque fois que nous nous disputions, je faisais tout pour calmer le jeu, pour lui donner raison. Je pensais que l'affection pouvait venir à bout de tous les obstacles… Quel idiot j'étais !

Comme dans un mauvais rêve, Taylor revit soudain le visage de Bennett déformé par la colère. Cette expression si inquiétante qu'il adoptait lors de leurs fréquentes querelles… Seigneur, Dev ne pouvait sans doute pas deviner à quel point elle comprenait ce qu'il venait de dire ! Elle aussi avait essayé de toutes ses forces de sauver son mariage en comptant sur la seule magie de l'amour… Elle aussi s'était efforcée d'adopter une personnalité qui n'était pas la sienne pour plaire à l'homme qu'elle avait épousé… Et, même après leur terrible divorce, une telle attitude l'avait marquée en profondeur, la laissant aux prises avec une immense difficulté à redevenir elle-même.

Avec une bouffée d'émotion, elle comprit qu'elle commençait à peine, cinq ans après, à renouer avec la personne qu'elle était vraiment… Grâce à Dev. Oui, c'était depuis leur séjour au Mexique qu'elle se retrouvait enfin. L'amant de passage qu'elle avait cru rencontrer avait eu — et avait toujours — une influence beaucoup plus grande sur son existence qu'elle n'aurait pu le soupçonner…

Jetant un regard par la fenêtre pour éviter de le regarder, elle sentit quelque chose se nouer au creux de son ventre.

— Tout va bien ? demanda Dev en la prenant doucement par le menton pour plonger ses yeux dans les siens.

— Oui, tout va bien, articula-t-elle péniblement en essayant de sourire.

Inutile de paniquer, s'intima-t-elle en luttant pour se ressaisir. Leur relation, si agréable soit-elle, n'avait pas vocation à durer, et c'était très bien ainsi. Pas d'attaches, rien de durable : voilà exactement ce dont elle avait besoin. Et tant mieux si cette courte aventure lui révélait des choses sur sa propre identité. Elle pourrait s'en servir ensuite pour vivre plus en accord avec sa véritable nature, et pour cela, elle n'avait nul besoin d'un homme.

Elle s'éclaircit la gorge avant de reprendre avec un entrain un peu forcé :

— Bon, je te proposerais bien de continuer à démolir le reste de la cuisine, mais je crois que ça suffit pour aujourd'hui, non ?

Dev hocha la tête en la considérant d'un air qu'elle ne parvint pas à déchiffrer. Puis il acquiesça en souriant.

— Bon, je suppose qu'un tel travail de forçat mérite bien une petite récompense… Que dirais-tu si je t'invitais à dîner ?

— Entendu, répliqua-t-elle, encore plongée dans ses pensées.

Puis elle se dirigea vers la salle de bains pour se laver les mains.

Depuis des années, Dev s'était forgé un principe : ne jamais poser de questions indiscrètes à quelqu'un. Et, surtout, ne jamais lui demander à quoi il pensait.

Mais, à voir l'expression plus que perplexe — voire inquiète — qui venait de voiler le beau visage de Taylor, il avait bien failli enfreindre sa règle. Quelque chose le poussait à l'interroger : peut-être pourrait-il lui venir en aide ?

Lorsqu'il la vit revenir de la salle de bains, il se raisonna : certes, ils venaient d'avoir une conversation sur des sujets très personnels, mais cela ne l'autorisait pas pour autant à se montrer curieux de manière déplacée…

— Tu sais, lança-t-il avant même de comprendre ce qu'il s'apprêtait à lui proposer, j'estime qu'après toute l'aide que tu viens de me fournir pour ces travaux pendant tout un samedi, je te dois bien une petite escapade le week-end prochain... Que dirais-tu de quitter la ville quelques jours ?

Taylor leva un sourcil étonné.

— Tu ne veux pas finir les travaux ici ?

Dev éclata de rire.

— Au mieux, les travaux seront finis l'hiver prochain... Il reste tant à faire dans cette vieille maison ! Alors, un week-end de plus ou de moins... Je suis sûre que tu n'es jamais allée à Newport, n'est-ce pas ? Tu ne voudrais pas m'y accompagner ?

Taylor lui lança un regard mitigé.

— Pourquoi ai-je l'impression qu'il y a un piège là-dessous ?

— Sans doute parce qu'il y en a un, en effet, reconnut-il en lui adressant un clin d'œil. Même si, en fait de piège, ce n'est jamais que le mariage de ma sœur... Je pense qu'il existe des pièges infiniment plus dangereux !

— Un mariage ?

— Heu... oui.

— Tu veux juste que quelqu'un te tienne compagnie pendant le trajet en voiture, c'est ça ? plaisanta-t-elle.

— Peut-être que je n'ai surtout pas envie de me passer de sexe pendant tout un week-end, la taquina-t-elle en retour.

— Je vois... Mais, tu sais, je ne suis pas sûre d'être prête à subir l'examen de passage auprès de toute ta famille...

— Je te rappelle que ma famille se résume à ma petite sœur. Qui est charmante, d'ailleurs. Et qui aura sans doute autre chose à faire ce jour-là que de t'ennuyer avec des questions inquisitrices...

— N'empêche que si tu veux que je te serve d'escorte à ce mariage, il va falloir que tu m'offres quelques petites compensations... poursuivit-elle en le regardant droit dans les yeux d'un air provocant qui lui donna envie de lui faire l'amour sur-le-champ.

— Très bien. Alors pourquoi ne pas commencer dès maintenant ? demanda-t-il en la soulevant dans ses bras pour la porter jusqu'à sa chambre.

13.

« Seigneur, quelle foule ! », songea Taylor en pénétrant dans le bar bondé. Non seulement il était difficile de se frayer un chemin dans la salle, mais en plus il était tout aussi difficile de s'entendre ! La musique endiablée qui s'élevait de la petite scène aménagée au fond de la pièce, sur laquelle se déchaînait un groupe de rock, ne devait pas faciliter la conversation entre les clients… En revanche, cela mettait une sacrée ambiance ! ne put-elle s'empêcher de constater en souriant presque malgré elle.

Dev se pencha pour lui parler à l'oreille.

— Bienvenue à La Mauvaise Réputation ! cria-t-il.

— Je n'arrive pas à croire que tu es propriétaire de cet endroit ! s'exclama-t-elle en riant.

— Je n'en suis pas le propriétaire, corrigea-t-il. Juste l'un des investisseurs. Disons que j'ai aidé ma petite sœur à se lancer, voilà tout.

— Où est-elle, au fait ? demanda-t-elle en balayant la foule du regard.

A cet instant précis, une sublime jeune femme rousse se jeta dans les bras de Dev.

— Salut, beau gosse !

Taylor fronça les sourcils, mais se détendit aussitôt en entendant Dev éclater de rire.

— Taylor, voici ma sœur Mallory.

Une jeune serveuse, que Dev venait de lui présenter sous le nom de Fiona, leur servit une bière au comptoir.

— Alors j'ai pensé : « On ne va quand même pas la laisser se marier sans rien ! », expliqua-t-elle à Taylor en lui tendant son verre.

— Sans rien ? répéta Taylor, perplexe.

— Elle veut dire sans enterrement de vie de jeune fille, intervint Mallory en levant les yeux au ciel.

— Mais enfin, qu'est-ce que tu fais de la tradition ? protesta Fiona.

— Et qu'est-ce que tu fais du fait que je travaille ? répliqua Mallory. On n'allait tout de même pas fermer le bar un vendredi soir, bon sang !

Taylor lui sourit amicalement. Elle comprenait très bien ses préoccupations : elle-même acceptait très mal que son agence puisse être fermée depuis près d'un mois.

— Ma sœur est un bourreau de travail, souffla Dev en trinquant avec elle. Elle sait se faire une clientèle, crois-moi ! Voilà pourquoi cet endroit est si animé… Il te plaît ?

— Beaucoup, acquiesça-t-elle en admirant les murs de bois sombres et les savants éclairages qui tamisaient l'atmosphère. Je fréquentais pas mal ce genre d'endroits quand j'étais étudiante, et il arrivait même que mes copines et moi finissions par danser sur les tables !

Mallory lui jeta un regard complice.

— Oh, mais ça arrive ici aussi — beaucoup moins qu'avant depuis que mon futur mari a son mot à dire, mais tout de même… Parfois, notre naturel reprend le dessus, heureusement ! Ceci dit, si tu aimes danser, tu ne vas pas être déçue : ce groupe risque de mettre le feu à la salle comme il le fait tous les soirs depuis une semaine… Compte aussi sur moi pour te trouver un bon partenaire : il y a d'excellents danseurs à Newport !

— Eh, je sais danser ! protesta Dev.

Mallory le dévisagea avec stupéfaction — et une pointe de moquerie.

— Depuis quand ?

— Non, je peux témoigner, intervint Taylor. C'est un très bon danseur…

— Mon frère ? Un très bon danseur ?

Mallory lui lança un regard soudain plein de chaleur.

— J'ai l'impression que tu exerces une excellente influence sur lui, Taylor… Je suis très heureuse qu'il t'ait rencontrée, et je…

Taylor se sentit rougir. Par chance, un très bel homme aux cheveux noir de jais fit son apparition et enlaça Mallory avant de l'embrasser avec fougue. Puisque Dev ne se précipitait pas pour lui casser la figure, il devait s'agir de Shay, son futur mari…

Dev fit les présentations, mais dut s'interrompre au moment où Fiona grimpa sur le bar en criant :

— Mesdames et messieurs, votre attention s'il vous plaît…

Comme s'ils avaient été prévenus à l'avance, les membres du groupe s'arrêtèrent instantanément de jouer. Tous les clients présents dans la salle tournèrent la tête vers le bar.

— Pour ceux qui l'ignorent, je dois vous dire que ce soir nous avons une occasion supplémentaire de faire la fête, expliqua Fiona avec un grand sourire. Pourrais-je demander à la reine de la soirée de me rejoindre ici ?

Mallory leva les yeux au ciel, mais Dev et Shay l'encouragèrent en riant. Finalement, de guerre lasse, elle se hissa sur le comptoir. Des sifflets s'élevèrent de la salle, et Fiona s'inclina devant sa patronne et amie.

— Mallory, notre merveilleuse patronne, se marie après-demain ! annonça-t-elle joyeusement. S'il vous plaît, une ovation pour la belle promise !

Toute la salle se mit à applaudir frénétiquement, tandis que les hourras et les sifflements ajoutaient à l'ambiance. Taylor ne put s'empêcher de rire devant l'expression mitigée de la sœur de Dev.

— Et maintenant, en souvenir du bon vieux temps, et pour que la patronne n'oublie pas ses coutumes de jeune fille, voici sa chanson préférée, ajouta Fiona en faisant signe au groupe sur l'estrade. Mallory, une dernière danse de célibataire !

La musique, au rythme stimulant en diable, sembla avoir raison des dernières réticences de Mallory. Avec un sourire grandissant, elle se mit à onduler en cadence en mimant un play-back enthousiaste sur les paroles de la chanson. L'assistance, ravie, battait des mains pour l'accompagner, tandis que les autres serveuses rejoignaient leur patronne sur le bar en imitant sa chorégraphie. Sans pouvoir se retenir, Taylor commença, elle aussi, à danser sur place, toute sa timidité évanouie comme par enchantement. Dire qu'elle avait craint d'accompagner Dev à Newport... De toute évidence, elle n'aurait pu tomber sur des gens plus chaleureux !

— Pourquoi ne monterais-tu pas là-haut, toi aussi ? suggéra Dev en la voyant se déhancher.

Elle lui décocha une œillade suggestive et se hissa sur le bar où les autres filles l'accueillirent avec des cris de joie.

Le lendemain, Taylor sortit seule du petit hôtel charmant où Dev et elle s'étaient installés et chaussa aussitôt ses lunettes de soleil pour protéger ses yeux de la lumière matinale. Non qu'elle ait bu un verre de trop la veille, mais danser frénétiquement jusqu'à l'aube et se lever après à peine quelques heures de sommeil ne lui était pas arrivé depuis si longtemps qu'elle avait oublié à quel point cela pouvait être fatiguant ! Même si elle devait bien reconnaître qu'elle ne s'était pas autant amusé depuis une éternité…

Ceci dit, pourquoi avait-elle proposé à Mallory de venir l'aider à décorer le pub de Shay, où se déroulerait le dîner qui devait avoir lieu la veille du mariage ? Elle aurait tant aimé dormir encore un peu ! Etouffant un bâillement, elle poussa la porte aux carreaux de couleur que le jeune couple lui avait indiquée la veille au soir — enfin, ce matin — sur le chemin du retour.

Mallory et Fiona l'accueillirent avec tant de chaleur — sans compter la pleine cafetière brûlante qu'elles posèrent juste à côté de sa tasse — qu'elle se sentit tout de suite mieux. Shay lui fit un petit signe de la main avant de disparaître en trombe.

— Où va-t-il donc ? Tu laisses partir ton futur mari comme ça ? plaisanta-t-elle en faisant un clin d'œil à Mallory.

— C'est moi qui l'ai fichu à la porte, expliqua-t-elle dans un soupir. Je l'ai prévenu que s'il n'allait pas sur-le-champ chercher son smoking pour le dîner de ce soir, je ne l'épouserais pas demain. Et j'ai dit à Dev que s'il ne l'accompagnait pas, je ne serais plus sa sœur.

Taylor éclata de rire en même temps qu'elle.

— Je continue à penser que nous aurions dû en profiter pour faire un petit tour sur ta moto, lança Dev en descendant de la camionnette de Shay qui venait de se garer devant le loueur de costumes.

— Je suis censé passer prendre des caisses de champagne avant de revenir au pub… La moto aurait été nettement moins pratique !

— Et voilà… ironisa Dev. On se marie demain et on commence déjà à penser au côté « pratique » des choses au lieu de foncer cheveux au vent sur sa Harley-Davidson ! Mon vieux copain Shay était plus aventureux du temps de l'université…

— Oh, ça va ! s'esclaffa Shay en descendant de voiture. Toi aussi, tu as bien failli passer à la casserole.

« Mais finalement, ça ne s'est pas fait… » songea Dev en se remémorant le souvenir de ses propres préparatifs de mariage.

— Au fait… Qu'y a-t-il entre Taylor et toi ? demanda Shay en affectant un air détaché.

— Rien de spécial, mentit-il. Nous nous entendons à merveille, et pour le reste, nous ne faisons pas de projets d'avenir.

— J'imagine que cette garce de Melissa t'a vacciné contre les projets d'avenir pour un bon bout de temps, non ? s'enquit Shay, soudain sérieux.

— Non, Melissa n'a rien à voir là-dedans. Nous sommes simplement tombés d'accord pour ne pas prendre les choses trop au sérieux.

— Si tu le dis…

— Mais c'est vrai que depuis l'annulation de mon mariage, j'ai plus de difficultés à faire confiance à mes propres sentiments… reconnut Dev. Je veux dire, nous n'étions définitivement pas faits l'un pour l'autre, je le savais, et pourtant j'ai failli l'épouser ! Alors qu'avec Taylor…

Il s'interrompit, hésitant. Pour la première fois, il devait parler de ce qu'il ressentait pour Taylor. Et, même face à son meilleur ami, ça n'avait rien d'évident.

— Avec Taylor ? répéta Shay en l'interrogeant du regard.

Dev ne put réprimer un soupir pensif.

— Quand je l'ai rencontrée, Dieu sait que je n'avais aucune envie de me lancer aussi vite dans une nouvelle relation. De toute manière, elle est si sauvage que nous avons pratiquement dû signer un contrat stipulant qu'il n'arriverait rien de sérieux entre nous... Mais je me sens incroyablement bien avec elle. Mieux que je ne me suis jamais senti avec une femme. Et comparé à Melissa, c'est le jour et la nuit...

Shay plongea son regard dans le sien avec une insistance tout amicale.

— Est-ce que tu as dit à Taylor ce que tu viens de me dire ?

Dev secoua la tête.

— C'est trop tôt. Nous nous connaissons depuis à peine deux semaines... Et puis j'ai déjà essayé de m'engager une fois, et j'ai lamentablement échoué. Qui sait si ça ne risque pas de se reproduire ?

— Evidemment, c'est peut-être un peu tôt, admit Shay. Mais je crois que tu ne devrais pas laisser Melissa te pourrir la vie le restant de tes jours. Taylor semble très différente. Et toutes les relations ne sont pas nécessairement vouées à l'échec.

— Je sais. Ne pense pas que j'ai renoncé à me marier un jour. Je crois toujours au long terme. Mais avant de m'engager de nouveau, je voudrais être certain de le faire pour de bonnes raisons. Et pas parce que je cours après un fantasme...

— En tout cas, Taylor a tout du fantasme idéal pour un homme. Je la connais à peine, mais je la trouve vraiment très séduisante...

— Dis donc, tu n'es pas censé épouser ma sœur demain, toi ? Et puis qui te dit que tu serais son fantasme à elle ?

— Touché, l'interrompit Shay en souriant avec malice. Viens, allons chercher nos costumes.

*
* *

Taylor but une dernière gorgée de café avant de croquer dans le brownie le plus fondant, le plus léger, en un mot le plus délicieux qu'elle ait jamais mangé de sa vie.

— Hmm… Je serais parfaitement incapable de faire des gâteaux aussi divins, Mallory. Comme dirait ma grand-mère, tu es bonne à marier ! s'exclama-t-elle en la remerciant du regard.

— Ça tombe plutôt bien, non ? plaisanta-t-elle. Mais garde donc un peu de place pour les cookies qui arriveront d'une seconde à l'autre…

A l'instant où elle prononçait ces mots, la sonnerie d'un minuteur résonna dans les cuisines du pub.

— Tu vas voir ce que tu vas voir, reprit Mallory en filant les chercher.

Taylor sourit avec béatitude. Un tel petit déjeuner ne se présentait pas tous les jours !

Fiona lui sourit en retour en reprenant un brownie.

— Mallory est d'un calme olympien pour quelqu'un qui doit se marier demain, remarqua Taylor. Ça doit être un plaisir de travailler pour elle si elle est en permanence d'aussi bonne composition…

— C'est surtout qu'elle cache bien son jeu, pouffa Fiona. Moi, je crois qu'elle est morte de trac ! Tu sais, elle n'a pas forcé la main à Shay pour qu'il l'épouse. C'est plutôt lui qui a fait sa demande. Je pense que Mallory aurait pu continuer longtemps à vivre dans le péché sans éprouver la moindre gêne…

Fiona mordit à pleines dents dans son gâteau.

— En tout cas, elle t'aime bien, lança-t-elle sans transition.

— Vraiment ? demanda Taylor, interloquée. Qu'est-ce qui te fait dire ça ?

— Ta présence ici. Elle n'aurait jamais demandé à l'ex-fiancée de Dev de venir lui donner un coup de main pour l'organisation de son mariage.

— Mallory ne l'appréciait pas ? ne put-elle s'empêcher de demander.

— On peut même dire qu'elle la détestait. Elle était persuadée qu'elle allait faire vivre un enfer à son frère. C'est d'ailleurs ce qui se passait déjà. Jamais je n'ai vu Mallory aussi gaie que le jour où Dev a rompu ses fiançailles.

— Je vois que vous parlez de cette peste de Melissa, intervint Mallory en revenant de la cuisine, les bras chargés d'un plateau d'où montait une odeur plus qu'appétissante. Quel bonheur qu'elle ne soit pas là aujourd'hui !

Taylor savait qu'elle ferait mieux de ne pas poser de question, mais ce fut plus fort qu'elle. Et puis, on avait bien le droit de s'informer un peu, non ?

— Elle était si épouvantable que ça ?

— C'est le moins qu'on puisse dire, soupira Mallory en s'asseyant à côté d'elle. D'autant plus épouvantable qu'elle rendait mon grand frère très malheureux. On ne peut pas passer son temps à faire des caprices et des drames. On ne peut pas non plus passer son temps à être désagréable. En tout cas, pas quand on fréquente l'un des êtres qui m'est le plus cher.

Taylor acquiesça, songeuse, puis regarda Mallory droit dans les yeux. Après une légère hésitation, elle prit la parole :

— Tu sais que ce n'est pas sérieux entre Dev et moi, n'est-ce pas ?

— Tout ce que je sais, c'est qu'il tient à toi. Et que tu tiens à lui. Cela se voit quand vous êtes ensemble.

Taylor sentit son ventre se nouer.

— Ecoute, je trouve Dev absolument merveilleux, mais… je ne veux pas te donner une fausse impression. Si je suis venue ici ce week-end, c'est simplement pour l'accompagner.

Nous n'avons pas envisagé l'avenir ensemble, ou quoi que ce soit de ce genre.

A sa grande surprise — et aussi à sa grande gêne — Mallory se mit à rire.

— Si tu le dis… Nous verrons bien. Qui sait ce que l'avenir nous réserve ? En attendant, prends donc un cookie. Ils sont encore tout chauds.

14.

En entendant le tintement insistant d'une petite cuillère contre un verre en cristal, Taylor se tourna vers la table des mariés et vit Aidan O'Connor, le père de Shay, se lever, un grand sourire aux lèvres. Demain, au cours du dîner qui suivrait la cérémonie, ce serait à Dev de s'exprimer en tant que témoin du marié. Mais, ce soir, on donnait comme de coutume la parole à la famille.

Les multiples traditions accompagnant un mariage lui avaient toujours paru charmantes — et surtout très émouvantes. Alors pourquoi se sentait-elle si oppressée en cet instant ? Pourquoi cette boule dans sa gorge ne cessait-elle de grossir de minute en minute ?

Pendant que le père de Shay prononçait son discours, Taylor se remémora le dîner qui avait précédé son propre mariage. Dans son cas, le discours du père du fiancé s'était révélé bien moins tendre et chaleureux que celui d'Aidan O'Connor… Plein de sarcasmes et de critiques indirectes adressées à son fils, sous couvert d'humour il n'avait vraiment rien d'encourageant pour la future mariée… Peut-être aurait-elle dû y voir un signe ? A l'époque, elle s'était contentée de sourire et de serrer la main de Bennett. Ivre de joie, elle avait eu en cet instant la certitude que leur mariage serait heureux…

Comment avait-elle pu se montrer aussi naïve ? songea-t-elle avec une amertume croissante. Bien sûr, elle était encore jeune à l'époque. Sans compter que Bennett n'avait révélé son vrai visage qu'une fois le mariage célébré…

Un malaise profond, presque physique, l'envahit subitement. Une chose était sûre : elle avait retenu la leçon. Bennett lui avait au moins appris que les illusions de l'amour n'avaient qu'un temps. Et elle n'était pas prête de l'oublier.

Taylor se sentit pâlir. Son estomac fut contracté par une série de crampes, qui se muèrent bientôt en spasmes.

Dev se pencha vers elle, l'air inquiet, et lui prit la main.

— Tout va bien ?

— Il faut que j'aille aux toilettes…, réussit-elle à articuler en se levant en hâte.

— Reviens vite, murmura-t-il en lui déposant un baiser au creux du poignet avant de la laisser partir.

Avec un soulagement indicible, Taylor pénétra la première dans la chambre de leur petit hôtel. La vue du lit recouvert d'un épais édredon rouge et de la pile de coussins multicolores lui réchauffa le cœur. Enfin, elle allait pouvoir sombrer dans le sommeil et oublier les fantômes qui l'avaient assaillie toute la soirée — du moins si elle parvenait à dormir…

Après avoir tenu bon pour ne pas pleurer pendant plusieurs heures — elle s'en serait voulu de gâcher une ambiance aussi conviviale — elle n'aspirait plus qu'à un long bain chaud et à une bonne nuit. Heureusement, la vue de la joie de Mallory et de Shay lui avait remis un peu de baume au cœur à la fin du dîner, au moment où ils les avaient raccompagnés à leurs appartements respectifs pour leur dernière nuit de célibataire.

Pendant que Dev accrochait leurs manteaux à la patère, elle fila tout de suite à la salle de bains, où elle prit son temps pour se laver et se préparer pour la nuit. Il était déjà tard, le dîner n'avait rien de léger et, avec un peu de chance, Dev se serait déjà endormi lorsqu'elle ressortirait, songea-t-elle en enfilant une nuisette.

Dès qu'elle regagna la chambre, elle constata avec une légère appréhension qu'il n'en était rien. Dev, encore tout habillé, s'activait devant la petite cheminée installée en face du lit.

— J'ai pensé que nous pourrions nous détendre un peu devant un bon feu, annonça-t-il d'un ton neutre, mais en la regardant droit dans les yeux.

Puis, après l'avoir dévisagée, il demanda d'une voix douce :

— Taylor… Que se passe-t-il ?

Pourquoi aurait-elle dû s'étonner qu'il remarque que quelque chose avait changé dans son attitude ? Et comment aurait-elle pu le convaincre que ce n'était pas le cas ?

— Ce n'est rien. Je suis juste un peu fatiguée, essaya-t-elle pourtant de mentir.

Il craqua une allumette et aussitôt de longues flammes s'élevèrent dans l'âtre.

— Tu as été absente bien longtemps pendant le discours des parents de Shay…

— Je me sens mieux, affirma-t-elle avec un sourire forcé.

— Non, ça ne va pas mieux. Je le vois bien. Tu as eu l'air malheureuse comme les pierres pendant toute la soirée… Que se passe-t-il ?

De nouveau, il l'observa avec acuité — mais aussi avec une préoccupation qui lui alla droit au cœur. Pourquoi jouer la comédie ? s'interrogea-t-elle. De toute façon, elle n'avait jamais été très douée pour le mensonge. Alors, pourquoi ne pas lui dire la vérité, une partie, du moins ?

— Taylor, parle-moi, insista-t-il avec délicatesse en la conduisant devant le feu de cheminée. On dirait que tu as vu un fantôme…

Elle sentit un sourire amer lui monter aux lèvres.

— Il est parfois difficile d'éviter les fantômes du passé…

— Lesquels ?

— J'ai été mariée, souffla-t-elle.

— Et tu as divorcé. Oui, je le sais.

Il la prit dans ses bras avec une douceur infinie, et elle se sentit fondre. Pourtant, son extrême malaise refusait de la quitter complètement…

— Non, tu ne sais pas. Tu ne peux pas imaginer.

Il lui déposa un baiser sur la tempe.

— Alors raconte-moi.

Après un temps d'hésitation, elle se rendit face à sa gentillesse.

— Avant notre mariage, Bennett avait tout du fiancé parfait. Sensible, romantique, attentionné… Avec lui, j'avais l'impression de pouvoir croire en l'avenir. De pouvoir croire en lui. Et en moi. Et même si mes parents étaient furieux que je quitte l'université juste avant mon diplôme pour me marier, je suis passée outre. Je ne voulais pas attendre, et Bennett non plus. Finalement, en traînant les pieds, ils ont accepté et ont assisté à mon mariage. J'étais si heureuse… J'étais certaine que tout irait pour le mieux.

Taylor avala sa salive avec difficulté. Revenir sur tout cela était si pénible…

— Et puis, presque du jour au lendemain, il a commencé à changer.

Elle dut s'interrompre, bouleversée.

— Qu'est-il arrivé ? l'interrogea Dev avec inquiétude. Qu'est-ce qu'il t'a fait ?

— Il ne m'a jamais frappée, rassure-toi. Il n'avait pas besoin de gestes pour détruire quelqu'un. Ses mots suffisaient. S'il était devenu violent physiquement, je l'aurais quitté tout de suite. Mais sa maltraitance était bien plus subtile que ça. Il ne cessait de me rabaisser, de me critiquer, se moquait de moi en permanence…

Une gerbe d'étincelles jaillit de l'une des bûches de la cheminée, la faisant sursauter brusquement.

— Et tu n'en as parlé à personne ?

— J'avais trop honte. Mes parents m'avaient prévenue de ne pas me marier aussi vite, ainsi qu'une bonne partie de mes amis… Je n'ai pas eu le courage de leur donner raison. Du moins pas tout de suite.

— Mais tu as eu le courage de supporter tout ça…

— Jusqu'à une certaine limite, corrigea-t-elle en sentant les larmes lui piquer les yeux.

— Que s'est-il produit ?

Taylor poussa un profond soupir et s'adossa contre les oreillers.

— Un jour, je suis allée rendre visite à mes parents, bien décidée à tout avouer à ma mère. Mais je n'ai pas réussi. Alors je suis rentrée un jour plus tôt. Je pensais que cela lui ferait plaisir, puisqu'il détestait me voir aller quelque part sans lui… Il craignait toujours que j'échappe à son contrôle.

— Je vois, lâcha Dev d'un air compatissant.

Taylor prit une profonde inspiration.

— Je l'ai surpris au lit avec une femme.

— Comment a-t-il réagi ?

— Il a essayé de me culpabiliser, bien sûr. D'après lui, il n'aurait jamais éprouvé le besoin de me tromper si j'avais été une meilleure épouse… Quelques mois auparavant, j'aurais peut-être fermé les yeux. A l'époque, j'étais dans un tel état de délabrement moral que je n'avais plus la force de lutter… Mais, juste avant de partir de chez mes parents, j'avais appelé Jody, ma meilleure amie, pour lui avouer ce qui se passait. A défaut de me confier à ma mère, j'avais réussi à lui parler, à elle. Et elle s'était montrée si compréhensive et si combative que je me sentais prête à réagir, enfin, pour la première fois depuis longtemps... Alors j'ai dit à Bennett que je voulais divorcer. Et je suis partie.

La gorge serrée, elle se souvint de cette soirée de printemps où, après avoir enfin tourné le dos à Bennett, elle avait quitté le domicile conjugal en sachant qu'elle ne reviendrait jamais...

— Je suppose que ton mari ne t'a pas facilité la tâche...

— Non, en effet, acquiesça-t-elle en se remémorant l'attitude odieuse de Bennett tout le long de la procédure judiciaire qui l'avait libérée de son emprise. Mais j'ai tenu bon. Et mon entourage m'a beaucoup soutenue : Jody, bien sûr, mais aussi mes parents. Je n'avais pas osé leur parlé du harcèlement moral que Bennett me faisait subir. Mais je ne leur ai pas caché son infidélité, et cela les a horrifiés. Grâce à eux, j'ai réussi à m'en sortir.

— Tu n'as pas fait que t'en sortir, renchérit Dev passant un bras autour de son épaule. Tu t'es battue pour reconstruire ta vie, et tu as brillamment réussi. Tu devrais être fière de toi, tu sais. De toute évidence, Bennett est quelqu'un de malade. Il n'y a aucune conséquence à en tirer sur ce que tu es, toi.

— J'ai bien peur que si. J'aurais dû réagir plus tôt. Et surtout comprendre dès le début que cet homme était un pervers. Seigneur, je pensais que c'était l'homme de ma vie, et il s'est révélé être un monstre ! s'anima-t-elle. Comment ai-je pu me tromper à ce point ? Comment puis-je désormais me fier à mon propre jugement ? Tu sais, son infidélité était peut-être encore le moins douloureux dans tout ce qu'il m'a fait subir, mais tu n'as pas idée à quel point c'est douloureux de surprendre son mari dans les bras d'une autre femme.

— Détrompe-toi. Je sais parfaitement ce que tu as dû ressentir ce jour-là.

— Comment ça ?

Dev eut un petit rire sans joie.

— Pourquoi crois-tu que j'ai annulé mon mariage une semaine avant la cérémonie ? J'ai trouvé Melissa au lit avec un homme.

Taylor n'en croyait pas ses oreilles.

— Mon Dieu ! Je suis désolée, Dev.

Elle le vit secouer la tête comme s'il voulait chasser ce mauvais souvenir.

— C'est du passé, maintenant. Il faut simplement continuer son chemin sans se retourner.

— Ce n'est pas aussi simple…

— Je sais, mais est-ce qu'on a vraiment le choix dans des situations pareilles ? Cela vaut le coup de se battre pour être heureux. Crois-moi, j'ai eu maintes fois l'occasion de le constater, bien avant Melissa, d'ailleurs. Toute notre histoire familiale a hanté ma sœur pendant des années, et je mentirais si je te disais qu'elle n'a eu aucune incidence sur moi. Mais tu ne peux pas laisser le passé décider du cours de ta vie.

Il enserra ses mains dans les siennes et la contempla intensément.

— Taylor, il faut que tu relèves la tête et que tu trouves ta propre voie…

Taylor retira ses mains de celles de Dev.

— Ecoute, j'en ai assez de me conformer aux attentes des autres… Et les tiennes ne peuvent pas faire exception.

— Je me suis sans doute mal fait comprendre, répondit-il d'une voix douce. Je pense que les seules attentes que tu dois prendre en compte sont les tiennes. J'essayais juste de te donner mon point de vue sur une expérience que j'ai vécue moi aussi. Si tu laisses les mauvais souvenirs prendre le pas sur la réalité de ta vie, tu risques de passer à côté des bonnes choses qui pourraient t'arriver…

Il lui prit de nouveau une main et déposa un baiser sur ses doigts.

— Réfléchis à ce que je viens de te dire, ma belle… Et sache que pour rien au monde je ne voudrais te faire souffrir. Je le jure sur tout ce qu'il y a de plus précieux à mes yeux.

La petite église où Mallory et Shay s'apprêtaient à se marier était vraiment charmante, songea Taylor en admirant les vitraux multicolores et les voûtes en pierre blanche. Et, à en juger par sa joie manifeste, le vieux prêtre qui allait les unir connaissait bien le marié — peut-être même depuis sa plus tendre enfance.

Elle chercha Dev du regard, et sourit en le voyant si heureux et si fier près de l'autel, où il se tenait aux côtés de Shay et de son autre garçon d'honneur. Soudain, une musique solennelle s'éleva dans l'église, et Mallory fit son apparition dans une magnifique robe blanche brodée de dentelle. Lentement, elle remonta l'allée, visiblement très émue.

Taylor ne put s'empêcher de se souvenir qu'elle aussi s'était présentée devant Dieu et les hommes avec une émotion indicible. Et que Bennett, tout sourire dans son superbe costume queue-de-pie, avait vraiment semblé partager son bonheur.

Soudain, une révélation la frappa comme la foudre. Comment n'avait-elle pu s'en rendre compte plus tôt ? Longtemps, elle avait cru que Bennett s'était métamorphosé du jour au lendemain. En cet instant, elle comprenait enfin qu'il n'en était rien. En réalité, elle ne l'avait épousé que pour de mauvaises raisons. Elle l'avait épousé pour tenir tête à ses parents, parce qu'elle rêvait tellement d'indépendance. Elle l'avait épousé parce qu'en se mariant elle avait cru devenir enfin adulte. Si elle était vraiment honnête avec elle-même, elle devait bien s'avouer que Bennett n'avait rien à voir là-dedans. Bien sûr, elle avait cru sincèrement l'aimer, mais… Au plus profond d'elle-même, elle savait bien que quelque chose n'allait pas. Pourtant elle avait choisi de persévérer dans son erreur, peut-être par fierté, peut-être par le fait d'un incurable romantisme. Elle voulait vivre un conte de fées.

Au lieu de quoi, elle avait vécu un long cauchemar…

Troublée par cette découverte, elle prit une profonde inspiration en observant Shay et Mallory se prendre la main devant l'autel.

Avait-elle jamais connu cet amour sincère, ce profond respect mutuel lors de sa relation avec Bennett ? La réponse était non, bien sûr. Mais, pour la première fois, cela ne lui paraissait plus si grave. C'était comme si un lourd fardeau lui était tout à coup retiré des épaules. Pourquoi avait-elle vécu si longtemps dans la peur ? Sans doute, quand elle avait rencontré Bennett, était-elle trop jeune, trop impulsive, trop naïve. Elle avait ignoré toutes les mises en garde, tous les signaux avant-coureurs de la catastrophe. Dieu sait si elle avait payé son erreur au prix fort. Mais, au moins, elle savait désormais qu'elle ne la commettrait plus. Que quelque chose en elle savait maintenant distinguer la vérité du mensonge.

L'assemblée se leva pour la prière nuptiale, et Taylor en fit autant. Sa prière à elle, son souhait le plus cher était de prendre dorénavant les bonnes décisions. Et, pour la première fois depuis une éternité, elle s'en sentait capable.

Une vague d'espoir la submergea, en même temps qu'elle sentit un grand sourire lui monter aux lèvres quand les mariés s'embrassèrent. Tout le monde se mit à applaudir. Shay et Mallory, radieux, se prirent de nouveau par la main et rejoignirent la sortie sous les exclamations de joie de leurs proches. Et Dev, qui les suivait aux côtés des deux demoiselles d'honneur, passa devant elle et lui fit un clin d'œil, avec un air complice.

Une fois dehors, Taylor le chercha au milieu de la foule en liesse. L'air frais lui faisait un bien fou, et ses nouvelles résolutions s'en trouvèrent renforcées. A partir d'aujourd'hui, elle était bien décidée à oublier les fantômes du passé. Et à entamer une nouvelle vie. *Sa* vie.

Elle repéra Dev, un peu à l'écart, et se précipita vers lui pour l'embrasser avec fougue.

Il la considéra d'un air amusé.

— Que me vaut cet enthousiasme ?

— C'est pour te remercier d'être aussi merveilleux, souffla-t-elle au creux de son oreille.

— Attends ce soir, et tu verras que je saurai moi aussi te remercier, murmura-t-il d'un air plein de sous-entendus avant de lui rendre son baiser.

15.

Dev se mit à courir en direction du préfabriqué situé en face du chantier de l'agence de Taylor en jurant entre ses dents. Cette pluie glaciale qui s'infiltrait jusque sous ses vêtements n'arrangerait en rien la mauvaise humeur qui ne l'avait pas quitté depuis son réveil.

Bizarrement, il n'avait aucun motif de mécontentement particulier — du moins, à première vue. Tout allait bien dans sa vie, ces temps-ci. Sa sœur Mallory venait de se marier avec l'homme de ses rêves — accessoirement son meilleur ami à lui. Sa carrière marchait bien, et même le retard imprévu dû à cette maudite rupture de canalisation était en voie d'arrangement : les travaux touchaient à leur fin. Et Taylor et lui venaient de passer un week-end ensemble à Newport.

Taylor.

Sa simple évocation le troubla encore davantage. Bien sûr, il était heureux d'avoir pu parler avec elle à cœur ouvert, d'avoir réussi à gagner sa confiance au point qu'elle lui avait confié son histoire la plus intime. Mais, d'un autre côté, il souffrait de se trouver avec elle dans une situation mal définie. Ils entretenaient une liaison torride, sans le moindre problème relationnel. Et pourtant, même s'il était loin de vouloir s'engager de nouveau après le fiasco Melissa, sa relation avec Taylor lui laissait dans la bouche un goût d'inachevé… Comme s'il leur manquait quelque chose d'essentiel.

Tout en retournant la question dans tous les sens, il gravit en hâte les marches conduisant à son bureau.

Et quand il pénétra à l'intérieur, il sentit son sang se figer dans ses veines.

Derrière son bureau se tenait une sublime jeune femme à l'abondante chevelure auburn, aux grands yeux de chat et au teint de porcelaine. Elle lui adressa un regard plein d'amour et d'innocence — un regard à faire fondre le plus averti des hommes.

— Bonjour, Dev, lança-t-elle d'une voix chaude en se levant pour l'accueillir.

Cette voix qui l'avait tant séduit la première fois qu'il l'avait vue, à une soirée d'anniversaire en l'honneur de Riley. Riley qui, sans aucun doute, lui avait ouvert la porte de son bureau avant de s'éclipser. Il lui avait pourtant ordonné de rester en dehors de tout ça !

— Bonjour, Melissa, répondit-il froidement. Qu'est-ce que tu fais ici ?

— Tu m'as manqué, ronronna-t-elle, charmeuse. Et moi, je t'ai manqué ?

Il se versa une tasse de café chaud avant de répliquer.

— Tu connais parfaitement la réponse à cette question, alors pourquoi la poses-tu ?

— Non, je ne la connais pas, protesta-t-elle avec véhémence. Dev… Tu ne peux quand même pas me rejeter comme ça. Tu ne peux pas faire comme si notre amour n'avait jamais existé…

Dev sentit une onde de colère l'envahir. Comment pouvait-elle proférer de telles paroles après ce qui s'était passé — après ce qu'elle avait fait ?

— Et toi, tu ne peux quand même pas agir comme si la dernière fois que nous nous sommes vus n'avait jamais existé, maugréa-t-il.

Une expression d'intense regret se peignit sur les traits fins de Melissa.

— J'aimerais tant pouvoir l'oublier…

— Et tu crois qu'en l'ignorant, tu vas y parvenir ? se moqua-t-il durement.

— Mon Dieu, Dev, je sais que j'ai commis une erreur, souffla-t-elle en l'implorant du regard. Mais j'avais trop bu ce soir-là, et j'ai fait une bêtise… C'était stupide de ma part, mais j'ai voulu profiter de la dernière occasion que j'avais de me comporter de manière spontanée et un peu folle…

— Eh bien, tu vois, ce n'était pas ta dernière occasion, finalement. Maintenant, tu es libre de te montrer aussi folle et spontanée que tu le souhaites, aussi souvent que tu le souhaites…

— Dev, tout ce qui m'importe, c'est toi, supplia Melissa en enfouissant son visage entre ses mains.

Dev sentit sa mâchoire se contracter.

« Surtout, ne tombe pas dans le piège ! » s'intima-t-il au moment où il fut tenté de la prendre en pitié. Dès les premiers jours de leur relation, Melissa s'était révélée maîtresse dans le maniement du chantage affectif. Mieux que personne, elle savait manipuler les sentiments d'autrui pour atteindre son but. Combien de fois, après une énième dispute, avait-elle fondu en larmes en promettant de changer de comportement ? Combien de fois avait-elle fait amende honorable devant lui avant de redevenir le monstre d'égoïsme qu'elle était en réalité dès qu'il avait accepté ses excuses ?

— Melissa, nous n'avons rien à faire ensemble, annonça-t-il fermement.

Elle leva les yeux vers lui, en pleurs.

— Je ne suis pas d'accord. Nous allons parfaitement bien ensemble.

— C'est faux. Nous n'avons absolument pas les mêmes désirs ni la même vision de l'existence.

— Et alors ? Etre différents n'empêche pas de s'aimer… Si nous avons rompu à cause de ça, c'est une erreur que nous paierons jusqu'à la fin de nos jours…

Dev la dévisagea avec incrédulité en luttant contre la migraine qu'il sentait poindre. Elle ne pouvait tout de même pas penser ce qu'elle disait ?

— Même si, en un sens, cette rupture a eu un effet bénéfique, poursuivit Melissa avec détermination en se dirigeant vers la porte du préfabriqué, qu'elle verrouilla d'un coup sec. Elle nous a permis de réaliser ce que nous représentions réellement l'un pour l'autre….

— Justement. Il me semblait que nous aurions dû le réaliser quand nous nous sommes fiancés… Mais, apparemment, nous avions fait une erreur.

— Comment peux-tu dire une chose pareille, Dev ? Tu comptes tellement pour moi, murmura-t-elle en se rapprochant de lui. Mais à la perspective du mariage, de l'engagement « jusqu'à ce que la mort nous sépare », j'ai paniqué… Ne me dis pas que tu ne peux pas le comprendre, toi qui es un homme. Ne me dis pas que, toi aussi, tu n'as pas été tenté de vivre une dernière aventure avant de m'épouser…

— Non. Je ne pensais qu'à toi. Il n'y avait pas de place pour une autre femme dans ma vie.

— Tu vois, répliqua-t-elle d'une voix triomphante. Tu vois que tu m'aimais, et que tu m'aimes encore. Tu n'es pas heureux, Dev, cela se voit tout de suite. Il te manque quelque chose, ou plutôt quelqu'un…

Avant qu'il ait le temps de reculer, elle se pendit à son cou et plongea ses grands yeux bleus dans les siens.

— Et ce quelqu'un, c'est moi…

Taylor, assise derrière son bureau, luttait pour se concentrer sur ses dossiers plutôt que de penser à Dev, ce qui n'était pas une mince affaire…

Qu'elle le veuille ou non, le week-end à Newport avait changé la donne entre eux. A moins que le changement n'ait commencé avant… C'était difficile à dire. En tout cas, la situation avait évolué. Et elle devait prendre une décision à ce sujet.

Elle devait regarder la réalité en face : elle était tombée amoureuse de lui.

Aussi effrayant que soit ce constat, elle ne pouvait pas continuer à se voiler la face plus longtemps. Prenant une profonde inspiration dans l'espoir d'apaiser le tourbillon de ses pensées, elle tenta d'envisager les choses de manière objective.

Après tout, aimer Dev Carson n'avait rien de si catastrophique. Dev n'était pas Bennett, se rappela-t-elle avec fermeté. C'était un homme qui la respectait et qui la comprenait, comme elle en avait obtenu une nouvelle preuve ce week-end. Et, bien souvent, il lui avait montré qu'il tenait à elle. Depuis qu'ils se connaissaient, sa vie lui semblait plus facile, plus drôle, plus passionnante. En réalité, le plus étonnant n'était pas qu'elle soit tombée amoureuse de lui, mais bien qu'elle ne s'en soit pas rendu compte plus tôt…

Toute la question, évidemment, restait de savoir si elle devait oui ou non lui avouer ses sentiments. Comment annoncer une telle nouvelle à un homme, presque de but en blanc ? s'interrogea-t-elle, perplexe. Quand elle avait dit « Je t'aime » à Bennett, elle était trop jeune pour réaliser pleinement la portée de ses propos. Et, de toute manière, il lui avait fait sa déclaration en premier…

Ce qui, concernant Dev, était loin d'être le cas !

Comment faire en sorte qu'il accueille son aveu sans s'en sentir aussitôt prisonnier ? Pour rien au monde elle n'aurait voulu le placer dans une position embarrassante. Ni lui donner l'impression qu'elle attendait le même aveu en retour.

Poussant un soupir d'incertitude, elle passa en revue divers scénarios. L'inviter chez elle et lui concocter un petit dîner romantique ? Lui dire au lit, après avoir fait passionnément l'amour ? Lui envoyer une lettre ?

Un sourire ému lui monta aux lèvres. Presque sans s'en rendre compte, elle venait de prendre sa décision. Elle ne savait pas encore comment, mais elle lui avouerait son amour. Après des années de prudence extrême, le moment était venu de prendre des risques. Pour la bonne cause.

Le cœur battant, elle se leva d'un bond, enfila son manteau et sortit en hâte de son bureau. Inutile d'attendre davantage. Dev devait être de l'autre côté de la rue, en train de travailler. Grisée par son audace, elle ne sentit même pas la pluie glaciale qui ruissela sur son visage dès qu'elle fut sur le trottoir.

Pressant le pas, elle franchit les quelques mètres qui la séparaient encore du préfabriqué, puis en gravit les marches. Mais, quand elle mit la main sur la poignée de la porte, celle-ci refusa de s'ouvrir.

Elle ne put lutter contre la déception qui l'envahit sur-le-champ. Où Dev pouvait-il bien se trouver ? A cette heure-ci, il aurait dû être là. Du moins c'était ce qu'il lui avait dit la veille.

« Bah, il a dû changer ses plans à la dernière minute. Un nouveau client lui a sûrement demandé de visiter son chantier… »

Balayant sa frustration d'un revers de main, elle retrouva toute sa joie en pensant au courage qu'elle venait d'avoir. Le courage d'être elle-même. Le courage d'aimer.

Et il n'y avait aucune raison que ce courage la quitte avant ce soir.

Autour d'un bon dîner et d'une coupe de champagne, elle lui dirait enfin la vérité. Elle lui dirait qu'elle l'aimait de tout son cœur.

16.

« Décidément, la vie est pleine de surprises », songea Dev avec un léger sourire en introduisant sa clé dans la serrure.

Ce matin, il s'était réveillé avec une certaine vision du monde, qui, en ce début de soirée, avait changé du tout au tout. Mais toutes les prises de conscience ne s'opéraient pas forcément après des jours, voire des semaines de réflexion... Parfois, l'évidence vous tombait dessus sans crier gare. Et c'était ce qui lui était arrivé aujourd'hui.

Une fois dans son vestibule, il retira son manteau et se rendit compte que sa chemise était encore imprégnée du parfum de Melissa. Aussitôt lui revinrent les souvenirs de son entrevue avec elle et des enseignements qu'il en avait tirés. De précieux enseignements sur ce qui importait réellement dans sa vie. Désormais, il en avait la conviction : sans la femme qu'il aimait, un homme était perdu. Comment ne s'en était-il pas aperçu plus tôt ? Et surtout, comment devait-il agir maintenant qu'il s'en était aperçu ?

Se dirigeant vers le réfrigérateur pour y prendre une boisson fraîche, il commença à échafauder divers « plans de bataille ». Peut-être, en effet, aurait-il à lutter un peu...

Lorsqu'on frappa à la porte, il sursauta légèrement, brusquement sorti de ses profondes réflexions.

— Dev ? Tu es là ?

Taylor ! Son premier réflexe fut de penser au parfum de Melissa qui se dégageait encore de ses vêtements. Le moment venu, il lui expliquerait ce qui s'était passé. Sans doute Taylor le prendrait-elle mal, mais elle finirait nécessairement par l'accepter. En tout cas, si elle sentait de prime abord l'odeur d'une autre sur sa chemise, cette conversation n'aurait sûrement jamais lieu. Et il tenait par-dessus tout à avoir cette discussion avec elle. Même si ça n'avait rien de facile, il lui devait la vérité.

Sans réfléchir plus longtemps, il se précipita dans l'escalier conduisant au premier étage.

— C'est ouvert, cria-t-il en grimpant les marches quatre à quatre.

— Où es-tu ? demanda Taylor en entrant.

— Sers-toi un verre, proposa-t-il depuis le palier. Je prends une douche.

Taylor, le cœur battant à tout rompre, se débarrassa de ses gants et de son manteau.

Pour éviter de perdre le peu de sérénité qui lui restait, elle s'appliqua à examiner les poutres apparentes du vestibule et du salon et à en admirer une fois de plus le charme authentique. Comment pourrait-elle ne pas aimer un homme qui prenait tant de soin à restaurer une maison pourvue d'une âme, quand tant d'autres à sa place aurait acheté un appartement flambant neuf ou n'aurait vu cet endroit que comme un bon investissement ?

En gravissant les escaliers, elle ne put s'empêcher de s'interroger : à quel moment faire part à Dev de ses sentiments ? Dès qu'il serait sorti de la douche, avant que sa timidité ne lui rende la tâche plus difficile ? Plus tard, au cours du dîner ? Elle pourrait peut-être l'emmener dans un restaurant au cadre romantique et lui avouer son amour à ce moment-là ? A moins qu'elle n'attende le moment où ils se retrouveraient au lit ?

Lorsqu'elle pénétra dans sa chambre, elle résolut de prendre sa décision plus tard. Pour le moment, elle allait lui tenir un peu compagnie sous la douche… En un clin d'œil, elle ôta tous ses vêtements et s'approcha de la salle de bains à pas de loup.

Entrebâillant la porte, elle demanda d'une voix malicieuse :

— Y aurait-il un peu de place pour moi ?

Depuis la cabine de douche, elle entendit Dev rire avec bonne humeur.

— Toi aussi, tu as besoin de te détendre après une longue journée de travail ? Naturellement, tu es la bienvenue…

Elle se glissa auprès de lui, dans le nuage de vapeur chaude qui l'enveloppait.

— Eh bien, si tu as un peu de savon pour moi, ce n'est pas de refus…

La vision de son corps nu et de ses muscles saillants ruisselant d'eau chaude faillit lui couper le souffle. Seigneur, qu'il était beau ! Profondément troublée, elle lui rendit son sourire. Les yeux de Dev, brillant d'une lueur sensuelle, ne la quittait pas, détaillant sa poitrine, son ventre, ses cuisses bientôt entièrement mouillés eux aussi…

Elle sentit la pointe de ses seins durcir instantanément lorsqu'il entreprit de la caresser. Sa bouche prit possession de la sienne, impérieuse, gourmande, prête à la faire chavirer. Elle se pressa contre lui, haletante, avide de le toucher, lui aussi.

Dev commença à lui savonner tout le corps avec une lenteur affolante qui lui arracha des gémissements. Et lorsqu'elle sentit son érection durcir contre son bas-ventre, elle crut perdre la tête.

— Dev, je t'en prie… Prends-moi…

— A vos ordres, mademoiselle, répondit-il d'une voix rauque.

Il s'écarta légèrement de façon à lui laisser toute la place sous le torrent d'eau chaude… Et elle s'offrit à cette caresse subtile le temps d'effacer toute trace de savon sur sa peau.

Alors Dev glissa une main sous ses jambes et entoura ses épaules de l'autre, puis la transporta jusqu'à son lit en la couvrant de baisers.

Ils s'étreignirent avec une fougue qui la transporta dans un autre monde. L'amour, autant que le désir, lui tournait la tête. Jamais elle n'aurait cru éprouver une telle plénitude, et pourtant…

Dans son état bienheureux de semi-conscience, elle perçut tout à coup une sonnerie de téléphone. Elle tenta bien d'en faire abstraction, mais un bruit aussi aigu était difficile à ignorer. Dev, de son côté, semblait pourtant totalement indifférent à la chose, poursuivant avec sa bouche sa lente exploration de chaque centimètre carré de sa peau.

— Tu… Tu ne veux pas répondre ? finit-elle par demander d'une voix sourde.

— Non. Le répondeur s'en chargera, répliqua-t-il entre deux baisers fiévreux.

En effet, le répondeur se mit en route. Après le message enregistré par Dev, une voix féminine résonna soudain dans la chambre.

— Dev, mon amour… Est-ce que tu es là ? C'est moi, Melissa.

Taylor sentit Dev se figer tout contre elle. A son tour, tout son corps se tendit en attendant la suite.

— J'ai été si heureuse de te voir aujourd'hui, susurra la voix de son ancienne fiancée. Je sais que je n'aurais pas dû te sauter dessus de cette manière dans ton bureau, mais c'était plus fort que moi. Ça faisait si longtemps que je ne t'avais pas serré dans mes bras…

Taylor n'en croyait pas ses oreilles. Jamais de sa vie elle ne s'était sentie si choquée, si abasourdie… si malheureuse. Mécaniquement, elle voulut bouger pour se libérer de l'étreinte de Dev, mais il la maintint tout contre lui. Il voulait donc l'humilier jusqu'au bout ? se révolta-t-elle, au bord des larmes.

— Tu sais à quel point je t'aime, poursuivit Melissa d'une voix langoureuse. Et je sais que toi aussi… C'était si bon de te retrouver aujourd'hui ! Je crois que ce qui s'est passé ce matin prouve que nous devrions nous accorder une deuxième chance… Appelle-moi, mon chéri, conclut-elle avant de raccrocher.

Les tempes bourdonnantes, Taylor s'arracha à l'étreinte de Dev en dépit des efforts qu'il faisait pour la retenir. Mais c'était plus qu'elle n'en pouvait supporter. Elle allait se lever et quitter le lit quand il la retint par le bras.

— Taylor… Attends.

Mais elle tint bon et réussit à se libérer. Se dirigeant tout droit vers le fauteuil où elle avait jeté ses vêtements au moment de se déshabiller, elle entreprit de se vêtir — et surtout, de se protéger du regard de Dev qui ne la lâchait pas. Seigneur, jamais de sa vie elle ne s'était sentie aussi nue, aussi vulnérable… Non ! Elle ne devait pas réfléchir. Elle devait se contenter de s'habiller, et surtout ne pas penser. Ne pas prêter attention à la douleur fulgurante qui lui enserrait la poitrine…

— Ce n'est pas ce que tu crois, lâcha Dev d'une voix qu'elle ne reconnut pas.

— Vraiment ? demanda-t-elle d'une voix tremblante en s'habillant aussi vite qu'elle le pouvait.

— Taylor, il ne s'est absolument rien passé.

— Alors explique-moi pourquoi la porte de ton bureau était fermée à clé quand je suis venue te voir ce matin ? réussit-elle à articuler.

— Ecoute, je n'avais aucune envie de la voir. Quand je suis arrivé, elle m'attendait… C'est sûrement Riley qui lui a ouvert.

— Riley ?

— C'est son cousin, expliqua Dev en se passant une main sur le visage. Melissa et moi, nous nous étions rencontrés par son intermédiaire…

— Et alors ?

— Je te jure sur la tête de Mallory qu'il ne s'est rien passé. Laisse-moi t'expliquer…

Taylor, entièrement rhabillée, s'assit sur le bord du lit et le fixa en réfrénant les larmes qui lui montaient aux yeux. « Voyons voir ce qu'il a à dire pour sa défense. Peut-être fera-t-il encore plus fort que Bennett ? » songea-t-elle avec amertume.

— Je t'écoute.

Elle vit sa mâchoire se contracter. Sans doute essayait-il de rassembler ses arguments, et surtout ses mensonges…

— Melissa n'a pas cessé de vouloir entrer en contact avec moi depuis mon retour du Mexique, commença-t-il d'une voix lasse. Elle disait qu'il fallait absolument qu'elle me parle. J'ai refusé de lui parler, et encore moins de la voir, mais elle a dû réussir à mettre Riley dans sa poche. Bref, quand je l'ai vue ce matin, elle s'est excusée, elle m'a dit qu'elle regrettait tout ce qui s'était passé et… qu'elle m'aimait toujours. Je veux que tu saches que c'est elle qui a fermé la porte de mon bureau à clé.

— Et laisse-moi deviner… Tu as appelé la police, c'est ça ? ricana Taylor bien qu'elle n'eut aucune envie de rire.

Dev se passa la main dans les cheveux, l'air embarrassé.

— Ecoute, tout est allé si vite depuis quelques semaines… D'abord, j'ai surpris ma fiancée avec un autre homme, puis j'ai annulé mon mariage. Ensuite, je suis parti au Mexique, et je t'ai rencontrée. Je n'ai pas eu beaucoup de temps pour penser à tout ça. Et c'est souvent dans ce cas précis qu'on commet des erreurs. Mais quand j'étais avec Melissa et qu'elle s'est jetée dans mes bras, j'ai compris que…

— N'en dis pas davantage, j'ai compris, coupa Taylor, effondrée.

Elle se leva, les jambes flageolantes, et le fixa à travers un semi-brouillard — les larmes, peut-être ? Elle ne savait plus.

— D'abord tu t'enfermes avec ta fiancée dans ton bureau…

— Ex-fiancée, corrigea Dev.

— Si tu le dis, lâcha-t-elle avec un sourire triste. Ensuite, quand j'arrive, tu te précipites sous la douche… Et Melissa appelle pour te dire combien c'était bon de te serrer de nouveau dans ses bras, et pour te dire sa joie de vos retrouvailles amoureuses…

Ses yeux se posèrent sur la chemise de Dev roulée en boule sur une chaise… et elle sentit son cœur se briser en mille morceaux.

— Enfin, je trouve du rouge à lèvres sur le col de ta chemise, conclut-elle en désignant le vêtement. Je crois que les choses sont claires. Il est inutile de me mentir davantage, tu sais.

— Taylor, il ne s'est rien passé entre Melissa et moi. Je sais que les apparences jouent contre moi, mais pourquoi refuses-tu de me faire confiance ?

— Parce que ce n'est pas la première fois que je surprends l'homme que j'aime en train de me tromper avec une autre, souffla-t-elle, désespérée.

Les yeux de Dev reflétèrent une intense surprise, mais elle n'y prêta pas grande attention.

Dev ouvrit la bouche pour parler, mais elle le devança :

— Tu vois, j'ai donc l'habitude de ce genre de situation, maintenant… Et au fond, il m'importe peu qu'il se soit réellement passé quelque chose entre elle et toi aujourd'hui. Ce qui compte, c'est que tu éprouves toujours des sentiments pour elle… Si ce n'était pas le cas, tu m'auras tout raconté dès mon arrivée.

— Je t'assure que…

— Laisse tomber, Dev. Si tu voulais cesser de me voir pour renouer avec la femme de ta vie, tu aurais dû me le dire, un point c'est tout. Tu n'avais pas à me faire vivre une situation si embarrassante. Et si pénible.

— Mais je ne veux pas cesser de te voir ! protesta-t-il avec véhémence en se levant pour la prendre par le bras.

— Eh bien, moi si, s'exclama-t-elle avant de lui échapper et de se précipiter dans l'escalier en éclatant en sanglots.

17.

Assis sur son lit, la tête entre les mains, Dev passa méthodiquement en revue tous les jurons qu'il connaissait en les énonçant à voix haute dans l'espoir de se défouler un peu.

Malheureusement, c'était loin d'être suffisant…

En un instant, il fut sur pied et commença à se rhabiller. Insulter la terre entière — à commencer par lui-même et cette sorcière de Melissa — ne servirait à rien. Pas plus que réfléchir, d'ailleurs, à l'épouvantable scène qui venait de se dérouler entre Taylor et lui. Ni aux moyens qui existaient de réparer cet immense gâchis…

Il ignorait totalement ce qu'il allait faire dans les jours à venir, mais savait très bien, en revanche, ce qu'il allait faire *tout de suite*.

Une minute plus tard, il se trouvait dans sa cuisine, un maillet à la main, frappant de toutes ses forces contre le mur à abattre. Au bout d'une heure de travail intense, les muscles douloureux, il commença à se sentir un peu mieux.

Ce fut à cet instant que les mots de Taylor lui revinrent à la mémoire. « Ce n'est pas la première fois que je surprends l'homme *que j'aime* en train de me tromper… »

Un sourire lui monta aux lèvres en dépit de la situation plus que complexe dans laquelle il se trouvait, et il sentit une joie inouïe l'envahir. Bien sûr, elle n'allait pas être facile à convaincre, mais il finirait par y parvenir. L'essentiel n'était-il pas qu'ils soient amoureux ?

Car si la visite de Melissa lui avait surtout apporté des ennuis, elle lui avait au moins fait prendre conscience d'une chose : il ne l'aimait plus, elle — s'il l'avait jamais vraiment aimée, d'ailleurs. Il aimait Taylor. Corps et âme. Comme il n'avait jamais aimé une femme.

Et, subitement, il sut ce qu'il avait à faire.

Le faible soleil hivernal pénétrait par la fenêtre de son bureau, enfin débarrassée des échafaudages qui l'obstruait depuis de longues semaines.

Taylor songea machinalement qu'elle aurait dû être heureuse que ces maudits travaux soient terminés pour de bon. Or, il n'en était rien. Il lui aurait fallu bien plus qu'un rayon de soleil pour réchauffer son cœur meurtri…

Il aurait fallu qu'elle puisse cesser de penser à Dev Carson. A leur première rencontre sur une plage dans un décor de rêve. A leurs étreintes passionnées. Au contact de ses lèvres contre les siennes, de ses mains sur sa peau nue. Aux mots tendres qu'il lui chuchotait à l'oreille quand ils faisaient l'amour…

L'amour…, songea-t-elle avec une tristesse infinie. Une chose était sûre, on ne l'y reprendrait plus. Il allait bien falloir vivre sans.

Après tout, ce n'était pas la première fois qu'elle vivait une telle situation. Si seulement elle avait retenu la leçon la première fois ! Faute de quoi, elle se retrouvait aujourd'hui dans un état de détresse qu'elle n'aurait jamais cru pouvoir exister.

« Taylor, reprends-toi ! » s'intima-t-elle avec toute la force qu'elle put trouver en elle. Si Dev se révélait non pas l'homme droit qu'elle avait cru rencontrer, mais un menteur comme tous les autres, il n'était pas l'homme de sa vie. C'était pourtant simple, non ?

Alors pourquoi ne pouvait-elle cesser de penser à lui ? Pourquoi ne parvenait-elle pas à l'oublier ? Pourquoi n'avait-elle pas réussi à fermer l'œil de la nuit ?

Pure blessure narcissique, voilà tout, tenta-t-elle de se rassurer. Et puis, elle avait déjà réussi à survivre une fois à un cataclysme similaire. Il n'y avait donc aucune raison pour ne pas réussir une seconde fois à s'en remettre... Même si, au plus profond d'elle-même, quelque chose lui disait que le parallèle qu'elle établissait entre ses deux épisodes de sa vie amoureuse n'était pas aussi fondé qu'elle aurait voulu le croire...

Elle sursauta violemment quand Nicole fit son apparition dans son bureau.

— Excusez-moi, Taylor... Je ne vous dérange pas ?

— Pas du tout, mentit-elle tout en se demandant comment elle allait bien pouvoir réussir à travailler aujourd'hui.

— Je vous apporte les photos que vous avez prises pendant vos repérages. Le laboratoire vient de nous les envoyer. Je me suis dit que vous souhaiteriez peut-être commencer à les classer pour les intégrer à notre catalogue.

— Heu, oui, merci, Nicole. Posez ça sur mon bureau, je vais m'en occuper.

Peut-être était-ce en effet la meilleure solution ? Se plonger corps et âme dans le travail, comme elle l'avait fait après son divorce, songea-t-elle en ouvrant la pochette de photos une fois Nicole repartie.

Divers clichés des Barbades, de Saint-Thomas et d'autres paradis exotiques où elle avait fait escale défilèrent sous ses yeux. Pourtant, elle éprouvait toutes les difficultés du monde à se concentrer sur leur dimension professionnelle, tant ces images somptueuses lui rappelaient Cozumel et la semaine de rêve qu'elle y avait vécu...

Soudain, son cœur cessa de battre dans sa poitrine. Là, juste devant elle, se trouvait l'image de Dev, souriant. Et qui la tenait par la taille, l'air incroyablement heureux, sur fond de végétation luxuriante et de ciel bleu immaculé. Elle aussi, d'ailleurs, semblait véritablement radieuse…

Son cœur se serra tandis qu'une immense vague de nostalgie la submergeait. Mais à quoi bon revenir sur le passé ? Le mieux serait de garder les bons souvenirs d'une aventure sans lendemain, et d'accepter que, contrairement à ce qu'elle avait eu la folie d'espérer, son histoire avec Dev s'arrêterait là. Après tout, c'est bien ce qu'ils avaient convenu au départ, non ? C'était entièrement de sa faute si elle s'était emballée.

« Ça suffit, décida-t-elle avec fermeté. Arrête de te torturer comme ça. Cet homme n'est pas pour toi, un point c'est tout. Il aime encore celle qu'il devait épouser, quoi de plus compréhensible ? »

Mais elle ne put s'empêcher de jeter un dernier regard à la photo, les yeux rivés au visage de Dev qui lui souriait.

Une violente douleur l'envahit à l'idée qu'il ne lui sourirait plus jamais de cette manière… Elle allait devoir s'habituer au fait que plus rien n'existerait jamais entre eux. La soirée d'hier avait tout bouleversé, de manière irrémédiable…

Le bruit d'un léger coup frappé à sa porte la fit tressaillir. Sans doute Nicole avait-elle oublié de lui dire quelque chose, songea-t-elle en s'abstenant de relever la tête le temps de se composer, autant que possible, une expression normale.

— Entrez, lança-t-elle d'une voix mal assurée, sans même avoir le courage de dissimuler la photo qu'elle tenait entre les mains.

— Bonjour, Taylor, souffla une voix masculine qu'elle ne connaissait que trop bien.

La surprise la rendit muette. Elle ne put que fixer Dev, qui se tenait comme par miracle dans l'encadrement de la porte.

Luttant pour conserver un semblant de calme, elle demanda, presque sans s'en rendre compte :

— Que puis-je faire pour toi ?

Au même moment, Dev baissa les yeux sur la photo prise à Cozumel, qu'il parut reconnaître aussitôt. Elle le vit réprimer un mouvement de surprise, puis sourire en la dévisageant. Oh, c'en était trop ! Il n'avait donc aucune décence ? Pourquoi venait-il se moquer d'elle jusque dans son bureau ?

— Je voulais te dire que les travaux étaient entièrement terminés, comme tu l'as sans doute remarqué. Il faudra que tu fasses ta propre inspection pour t'assurer que tout est conforme à ce qui avait été convenu avec ton propriétaire. Ensuite, tu pourras nous retourner ce document signé, ajouta-t-il en lui tendant un contrat. Elle s'en empara d'une main tremblante, malgré tous les efforts qu'elle faisait pour se maîtriser.

— Merci, articula-t-elle avec difficulté. Au revoir, Dev.

Il ne bougea pas d'un centimètre, visiblement peu pressé de partir, et continuant à l'observer avec insistance.

— Il y a autre chose ? demanda-t-elle d'une voix blanche.

— Oui, il y a autre chose.

Elle sentit tout son corps se figer. Pour rien au monde, elle ne voulait entendre ses excuses... Comme si cela pouvait changer quoi que ce soit au chagrin déchirant qu'elle éprouvait. Malheureusement, il semblait déterminé à poursuivre. Sans doute pour soulager sa conscience avant de retourner dans les bras aimants de sa fiancée...

— Je voudrais effectuer une réservation pour un voyage que je projette de faire, dit-il simplement.

C'était donc cela, songea-t-elle avec un mélange de soulagement et d'amertume. Espérait-il qu'elle lui ferait un prix ?

— Nicole se fera un plaisir de s'occuper de toi, dit-elle d'un ton morne. Maintenant, si tu veux bien me laisser, j'ai du travail.

— Non, j'aimerais mieux que ce soit toi qui t'en occupes, insista-t-il.

« Finissons-en au plus vite », se résolut-elle en entrant le nom de Dev sur son ordinateur.

— Bien. Quelle destination as-tu choisi ?

— Cozumel, bien sûr, répondit-il en plongeant son regard dans le sien.

Rassemblant tout son courage, elle s'obligea à conserver une expression neutre. Si seulement ses mains ne tremblaient pas autant sur le clavier…

— Je vois. Pour une personne ?

— Certainement pas. J'espère bien ne plus jamais partir en vacances tout seul.

— Deux chambres, donc ?

— Non. Une chambre pour deux.

Seigneur, c'était un véritable cauchemar…

— D'ailleurs, reprit Dev, il me faudrait la suite réservée aux jeunes mariés, si c'est possible.

Un voile sombre passa devant ses yeux, lui cachant momentanément l'écran de son ordinateur.

Comment Dev pouvait-il se montrer aussi cruel ? N'estimait-il pas qu'elle avait déjà assez souffert dans sa vie ?

Au prix d'un gros effort de volonté, elle réussit à poursuivre :

— Quand voudrais-tu partir ?

Dev fit mine de réfléchir.

— Hmm… Disons en février prochain. Cela devrait nous laisser le temps d'organiser le mariage.

— Toutes mes félicitations, s'entendit-elle dire d'une voix qu'elle reconnut à peine. Je suis sûre que tu seras très heureux.

Elle essaya d'étouffer la douleur qui lui tordait l'estomac. Après tout, cela n'avait rien d'une surprise… Elle savait déjà qu'il s'était réconcilié avec Melissa, non ?

— Merci, mais pour ma part je ne suis encore sûr de rien, avoua-t-il dans un sourire étrange. En fait, je n'ai pas encore fait ma demande.

— Ce sera sans doute une simple formalité, souffla-t-elle, fatiguée de donner le change.

— Espérons-le.

« Courage, Taylor, s'intima-t-elle intérieurement. C'est presque fini… »

— Est-ce que son nom s'écrit comme il se prononce ? parvint-elle à demander en doutant d'être capable de l'entrer dans son ordinateur.

— Je crois, affirma Dev. Ce doit être : T-A-Y-L-O-R…

Taylor crut être victime d'une hallucination. Même si elle avait voulu parler, elle en aurait été incapable. Quelque chose venait de la figer sur place. Un peu comme si la foudre lui était subitement tombée dessus. D'ailleurs, c'était presque le cas…

— Je pense que tu sais comment écrire la suite, reprit Dev d'une voix douce en la regardant avec intensité.

— Je… Je ne comprends pas, finit-elle par murmurer.

— Alors je vais t'expliquer, commença Dev en se penchant vers elle. La semaine dernière, quand nous sommes rentrés de Newport, j'ai senti confusément que quelque chose ne tournait pas rond. Je ne savais pas quoi au juste, mais j'en avais la certitude. Je me sentais, comment dire… différent de d'habitude. Et puis, quand Melissa est venue me voir, elle m'a dit qu'il me manquait quelque chose. Que ça se voyait comme le nez au milieu de la figure. Et qu'elle pensait que c'était elle qui me manquait. Mais quand elle s'est jetée sur moi et qu'elle a essayé de m'embrasser, j'ai compris.

— Tu as compris quoi ?

— Que j'étais amoureux de toi.

Soudain, Taylor sentit son corps se relâcher complètement, se débarrasser de toutes les tensions qui l'habitaient.

— Mon ex-fiancée, cette peste de Melissa, n'a jamais fait le poids comparé à toi. Je ne pense plus qu'à toi depuis le tout premier jour où je t'ai vu, même si ce jour-là, tu n'as pas remarqué ma présence… Je venais superviser les travaux que Riley avait commencé par prendre en charge dans l'immeuble qui abrite tes bureaux. Et c'est là que je t'ai vue. Tu étais avec Nicole, et vous rentriez probablement de déjeuner. Tu étais… tout simplement resplendissante. Melissa et moi passions notre temps à nous disputer et toi, tu m'apparaissais, belle, troublante et riant aux éclats…

Taylor le regarda avec passion, émue aux larmes.

— Le lendemain, je me suis précipitée dans ton agence de voyages. Mais tu n'étais pas là, et c'est Nicole qui a pris ma commande. Je me suis dit que c'était sans doute mieux ainsi, parce que je ne sais pas ce qui se serait passé, et que j'avais fait le serment d'en épouser une autre… Même si je comprends maintenant que je ne l'aimais pas autant que je le croyais. C'est toi que j'aime, Taylor.

Bouleversée, elle murmura :

— Et moi qui croyais que tu étais retourné auprès d'elle parce qu'elle était la femme de ta vie…

— Je n'ai jamais éprouvé des sentiments pour Melissa comme ceux que j'éprouve pour toi. Et depuis que j'en suis libéré, j'ai le droit de te dire que c'est toi, la femme de ma vie. Et je ferais tout ce qui est en mon pouvoir pour te convaincre de passer le restant de tes jours avec moi.

— Ce ne devrait pas être très difficile de me convaincre, tu sais, avoua-t-elle avec émotion. Le jour où Melissa a téléphoné chez toi, j'étais justement venue te dire que je t'aimais… C'est la raison pour laquelle j'ai eu si mal ce soir-là…

— Je ne te ferai plus jamais souffrir, Taylor. Je te le jure. La seule chose qui compte à mes yeux, maintenant, c'est de te rendre heureuse.

Taylor crut que son cœur allait éclater de bonheur. Elle se pencha vers lui et l'embrassa avec passion. Puis, d'un air malicieux, elle lui adressa un grand sourire.

— Dis-moi, au sujet de notre prochain voyage à Cozumel...

— Oui ?

— Je pense que l'agence de voyages pourrait peut-être nous trouver une réservation un peu plus tôt que prévu... Qu'en penses-tu ?

Pour toute réponse, Dev lui ferma la bouche d'un baiser rempli de promesses.

Chère lectrice,

Vous nous êtes fidèle depuis longtemps?
Vous venez de faire notre connaissance?

C'est pour votre plaisir que nous avons imaginé un rendez-vous chaque mois avec vos auteurs préférés, vos AUTEURS VEDETTE dans les collections Azur et Horizon.

Les AUTEURS VEDETTE vous donneront rendez-vous pour de nouveaux livres vedette.

Pour les reconnaître, cherchez l'étoile... Elle vous guidera!

Éditions Harlequin

LE FORUM DES LECTEURS ET LECTRICES

CHERS(ES) LECTEURS ET LECTRICES,

VOUS NOUS ETES FIDÈLES DEPUIS LONGTEMPS?

VOUS VENEZ DE FAIRE NOTRE CONNAISSANCE?

SI VOUS AVEZ DES COMMENTAIRES, DES CRITIQUES À FORMULER, DES SUGGESTIONS À OFFRIR, N'HÉSITEZ PAS… ÉCRIVEZ-NOUS À:

LES ENTERPRISES HARLEQUIN LTÉE.
498 RUE ODILE
FABREVILLE, LAVAL, QUÉBEC.
H7R 5X1

C'EST AVEC VOS PRÉCIEUX COMMENTAIRES QUE NOUS ALLONS POUVOIR MIEUX VOUS SERVIR.

DE PLUS, SI VOUS DÉSIREZ RECEVOIR UNE OU PLUSIEURS DE VOS SÉRIES HARLEQUIN PRÉFÉRÉE(S) À VOTRE DOMICILE, NE TARDEZ PAS À CONTACTER LE SERVICE D'ABONNEMENT; EN APPELANT AU (514) 875-4444 (RÉGION DE MONTRÉAL) OU 1-800-667-4444 (EXTÉRIEUR DE MONTRÉAL) OU TÉLÉCOPIEUR (514) 523-4444 OU COURRIER ELECTRONIQUE: AQCOURRIER@ABONNEMENT.QC.CA OU EN ÉCRIVANT À:

ABONNEMENT QUÉBEC
525 RUE LOUIS-PASTEUR
BOUCHERVILLE, QUÉBEC
J4B 8E7

MERCI, À L'AVANCE, DE VOTRE COOPÉRATION.

BONNE LECTURE.

HARLEQUIN.

VOTRE PASSEPORT POUR LE MONDE DE L'AMOUR.

ROUGE PASSION

De fiévreuses histoires d'amour sensuelles!

De provocantes histoires d'amour passionnées et romantiques qu'on lit d'une seule traite. Aventureuses, parfois humoristiques, et sensuelles, elles mettent en vedette des hommes et des femmes d'aujourd'hui.

ROUGE PASSION... trois nouveaux titres chaque mois.

GEN-RP-R

COLLECTION HORIZON

Des histoires d'amour romantiques qui vous mènent au bout du monde!

Découvrez la passion et les vives émotions qu'apportent à la Collection Horizon des auteurs de renommée internationale!

Captivantes, voire irrésistibles, ces histoires d'amour vous iront assurément droit au coeur.

Surveillez nos trois nouveaux titres chaque mois!

Composé et édité par les
éditions Harlequin
Achevé d'imprimer en juin 2004

BUSSIÈRE
GROUPE CPI

à Saint-Amand-Montrond (Cher)
Dépôt légal : juillet 2004
N° d'imprimeur : 42821 — N° d'éditeur : 10634

Imprimé en France